Der Wind trägt meinen Schmerz davon

RAID SABBAH

Der Wind trägt meinen Schmerz davon

Aus dem Leben einer palästinensischen Mutter

Weltbild

Besuchen Sie uns im Internet:
www.weltbild.de

Genehmigte Lizenzausgabe
für Verlagsgruppe Weltbild GmbH,
Steinerne Furt, 86167 Augsburg

Umschlaggestaltung: Atelier Seidel, Neuötting
Umschlagmotive: Mauritius Images, Mittenwald
(© mauritius/age fotostock; © maritius/Photononstop)
Gesamtherstellung: Oldenbourg Taschenbuch GmbH,
Hürderstraße 4, 85551 Kirchheim
ISBN 3-8289-7744-8

2008 2007 2006 2005
Die letzte Jahreszahl gibt die aktuelle Lizenzausgabe an.

Stets sei der Mensch erfinderisch in der Gottesfurcht, sanftmütig und zorndämpfend und den Frieden fördernd mit seinen Brüdern, seinen Freunden und allen Menschen, selbst mit dem Fremden auf dem Markte, damit er geliebt sei in der Höhe und beliebt hier unten, und annehmlich bei allen Geschöpfen.

Aus dem Talmud, Berachot 17 a

Und wer ist besser in der Rede als einer, der zu Allah ruft und Gutes tut und sagt: »Ich bin einer der Gottergebenen.«? Und nimmer sind das Gute und das Böse gleich. Wehre das Böse in bester Art ab, und siehe da, der, zwischen dem und dir Feindschaft herrschte, wird wie ein treuer Freund sein.

Aus dem Koran, Sure 41, Vers 32–33

INHALT

Vorwort

Ich habe den Bericht eines jungen israelischen Soldaten gelesen, der seinen dreimonatigen Reservedienst in Hebron absolvierte. Er hielt Wache an einem Checkpoint, der zum Schutze von einigen Hundert jüdischen Siedlern inmitten der palästinensischen Stadt errichtet worden war. Eines Tages kam ein Siedlerjunge, nicht älter als acht oder neun Jahre, schnurstracks auf ihn zugelaufen, schaute zu ihm hoch und sagte: »Soldat, hör zu! Ich gehe jetzt ein Eis kaufen und danach töte ich Araber!« In seinen Augen funkelte blanker Hass, der nicht den leisesten Zweifel an seiner Entschlossenheit erkennen ließ. Entsetzt blickte der Soldat den Siedlerjungen an. Seine Zunge und Lippen waren wie gelähmt. Dann setzte der Junge seinen Weg fort, nicht aber ohne sich noch einmal umzudrehen und seinem Plan mit einem erneuten »Ich werde Araber töten!« Nachdruck zu verleihen.

Lange nachdem der Siedlerjunge verschwunden war, stand der Soldat sprachlos noch immer am selben Fleck. Er wollte nicht recht glauben, was soeben geschehen war. Hatte er sich das alles nur eingebildet? Und wenn nicht, warum hatte er dann nicht geantwortet? Aber was hätte er solch einem Jungen denn sagen sollen? Da gab es nichts mehr zu sagen. Es wäre vergebens gewesen.

Ich habe in Dschenin, einer Stadt im Norden des Westjordanlandes, einen palästinensischen Jungen kennen gelernt. Mein Freund Abdallah hatte mich besucht und den zehnjährigen Luai mitgebracht, da ich mit einem jener stadtbekannten Kinder sprechen wollte, die bei den immer wiederkehrenden Einfällen der israelischen Armee versuchen, mit Molotowcocktails Panzer unschädlich zu machen. Ich fragte Luai, was er denn später einmal werden wolle. Ohne zu zögern und mit strahlendem Gesichtsausdruck, so als ob es alles Glück der Welt bedeute, schoss es regelrecht aus ihm heraus: »Später werde ich ein Märtyrer in unserm Kampf gegen die Juden!« Ich musste nicht weiter fragen. Ich wusste, dass er davon träumte, einer jener »Helden« zu sein, die bei einem Selbstmordattentat ihr Leben opfern, um möglichst viele Israelis mit in den Tod zu reißen. Mir erging es wie dem Soldaten an dem Checkpoint. Luais Entschlossenheit und die Freude, die in seiner Antwort lag, machten auch mich sprachlos. Ein Kind, das bereits im Alter von zehn Jahren geplant hatte, seinem Leben und dem von anderen ein Ende zu setzen …

In einem Land des gewaltsamen Todes habe ich Kinder gesehen, die Zorn und Hass in sich tragen – Kinder, die doch gemeinhin als unschuldige Geschöpfe gelten. Viele von ihnen lernen früher oder später den Umgang mit der Waffe, zielen in Sommercamps oder mit ihren Freunden auf menschenähnliche Pappfiguren, ohne je die Achtung vor dem Leben erfahren zu haben. Luai und der Siedlerjunge sind Abkömmlinge zweier Gesellschaften, die nicht den Ausgleich und die Gerechtigkeit suchen, sondern die Konfrontation.

Eine Mauer, von vielen auch »Sicherheitszaun« genannt, wird sie in Zukunft trennen. Doch Frieden schafft man nicht damit. Denn es wachsen so viele Kinder unter den schrecklichen Umständen im Nahen Osten auf, dass man den Gedanken der Konfrontation unweigerlich an die nächste und übernächste Generation weitergibt. Diese Region steuert geradewegs in eine Katastrophe. Denn beide Gesellschaften, die palästinensische und die israelische, bringen Menschen hervor, deren Hemmschwelle zur Gewaltanwendung erschreckend niedrig ist. Jene, die es nicht anders wissen, da sie nichts anderes kennen, werden sich früher oder später gegen die eigene Gesellschaft, gegen das eigene Umfeld, gar gegen die eigene Familie wenden.

Umm Mohammed, die Hauptfigur dieses Buches, habe ich auf einer Palästina-Reise kennen gelernt.

Ihr Name bedeutet »die Mutter Mohammeds«, so wie der ihres Mannes Abu Mohammed »der Vater Mohammeds« meint, da es in der arabischen Gesellschaft Sitte ist, dass sich die Eltern in dieser Weise nach dem erstgeborenen Sohn benennen.

Ich begleitete Umm Mohammed und ihren Mann, wenn sie versuchten, den Checkpoint zu passieren, um nach Um Al-Rihan zu gelangen, oder wenn sie nach Salem zur Militärverwaltung fuhren. Abends saß ich oft schweigend mit Umm Mohammed zusammen, in stiller Anerkennung ihrer ausweglosen Lage.

Wie es zu dieser Situation kam, schilderte sie mir in unzähligen Gesprächen, zu welchen auch die Ausführungen ihres Mannes und die ihrer Schwester Umm Asem hinzukamen.

Umm Mohammed führte in dieser Zeit ein Tagebuch, in welches sie mir Einblick gewährte. Allerdings durfte ich nur jene Notizen sehen, die nicht zu intim waren und mir halfen, ihre Geschichte nachzuzeichnen. Ich sehe dies als einen großen Vertrauensbeweis an und hoffe, dass ich ihm in diesem Buch gerecht werde.

Umm Mohammeds Geschichte ist kein Einzelschicksal. Sie steht stellvertretend für die Erfahrungen und Erlebnisse unzähliger Palästinenser, deren Dörfer und Städte durch den Bau des »Sicherheitswalls« vom Rest des Westjordanlandes und damit ihrer ohnehin kleinen Welt abgeschnitten werden. Viele, die ihrer Arbeit in Ortschaften auf »der anderen Seite« nachgehen, müssen trotz des gültigen Passierscheins mit stundenlangen Wartezeiten an den Toren der »Mauer« rechnen oder an den über das Land verstreuten Checkpoints. Manche warten schlichtweg vergeblich.

In Europa und in Deutschland erreicht uns lediglich ein Bruchteil der tatsächlichen Geschehnisse in Palästina. Meist sind es Berichte erschreckender Gewaltakte, welche häufig in der medienwirksamen Verpackung präsentiert werden, dass es sich bei vielen palästinensischen Toten um Militante oder gar potenzielle Terroristen gehandelt habe. So entsteht oftmals der Eindruck, dass die Palästinenser ein Volk von »barbarischen Schlächtern« und »islamischen Fundamentalisten« sind, die den Staat Israel von der Landkarte tilgen möchten.

Betrachtet man allerdings die Wirklichkeit in Palästina, so eröffnet sich ein gegenteiliges Bild – ein Bild, das geprägt ist von der Geißelung und Entrechtung eines ganzen Volkes. Aber insbesondere Politiker verschließen vor dieser Realität angesichts des jüdischen Schicksals in der europäischen Geschichte missbilligend die Augen …

Raid Sabbah,
im Sommer 2004

[illegible] wir habe darüber nachgedacht, [illegible]
mand erfahren sollte, [illegible]
tragen hat, so muss ich [illegible]
erzählen. Nicht weil sie so ungewöhnlich ist oder ich
die Einzige wäre, die in eine solche Situation geraten
ist, denn täglich sieht man das gleiche Schicksal. Aber
ich muss mich entfernen [illegible]
er, den man über die [illegible]
die Flammen des Zorns zu [illegible]
schichte loswerden [illegible]
verliere den Sinn für die [illegible]
[illegible]

… Ich habe darüber nachgedacht. Auch wenn niemand erfahren sollte, wie es sich tatsächlich zugetragen hat, so muss ich dir die Geschichte dennoch erzählen. Nicht weil sie so ungeheuerlich ist oder ich die Einzige wäre, die in eine solche Situation geraten ist, denn täglich ereilt viele dasselbe Schicksal. Aber ich muss mich entleeren, wie einen Eimer voll Wasser, den man über ein loderndes Feuer schüttet, um die Flammen des Zorns zu töten. Ich muss die Geschichte loswerden, sonst frisst sie mich auf, und ich verliere den Sinn für die Dinge.

Umm Mohammed aus Um Al-Rihan

I

Frühling der angekündigten Gefangenschaft

1

Jeden Morgen reißt sie das schrille Läuten des Weckers aus dem Schlaf, und sie würde ihn am liebsten für immer zum Schweigen bringen, weil sie den Tag nicht auf diese Weise beginnen möchte. Aber ihr Mann glaubt nicht anders aufwachen zu können als durch solch penetranten Lärm. Wenn er doch nur nach dem ersten Klingeln die Augen aufschlagen und sich nicht noch einmal umdrehen würde, dann könnte sie damit umgehen. Sie ist gereizt, steht auf, zieht die Vorhänge zur Seite, und grelles Sonnenlicht überfällt das Zimmer, ein himmlischer Scheinwerfer, der auf sie gerichtet zu sein scheint. Abu Mohammed dreht sich mürrisch vom Fenster weg, da der Wecker noch nicht oft genug geklingelt hat, um ihn aus dem Bett steigen zu lassen. Er gleicht einem kleinen Jungen, der sich dagegen sträubt, in die Schule gehen zu müssen.

Nach dem Gang ins Bad steht Umm Mohammed die Müdigkeit noch immer ins Gesicht geschrieben. Ihr Mann hatte wieder einmal bis spät in die Nacht hinein gelesen. Er könne sonst nicht schlafen, sagt er, doch das Licht der Leselampe hinderte sie daran, in ihren ohnehin leichten Schlaf zu entgleiten. Manchmal aber nimmt sie – von ihm unbeachtet, da er beim Lesen die Welt vergisst und vergessen will – ihr Bettzeug und übernachtet auf dem Sofa im Wohnzimmer. Dann sieht sie sich am nächsten Morgen mit dem Vorwurf konfrontiert, dass sie sich klammheimlich davongeschlichen habe, anstatt mit ihm zu reden. Es macht doch keinen Unterschied, ob ich hier oder dort schlafe, weil er es ohnehin nicht merkt, denkt sie sich. Währenddessen breitet sie den roten Gebetsteppich im noch abgedunkelten Wohnzimmer gen Südosten und damit Richtung Mekka aus und zieht sich einen weißen Hidschab – einen Schleier – über, der vom Kopf bis zu den Hüften hinunterreicht und ihren gesamten Oberkörper verdeckt. Nur einen Moment verharrt sie dann in Reglosigkeit und verbannt all jene Gedanken, die ihr gerade noch durch den Kopf gegangen sind, um einen Zustand der Klarheit zu erlangen, der ihr erlaubt, das Morgengebet zu beginnen.

In der Küche steht Isra'a, mit dem Rücken an den Gasherd gelehnt, auf dem Wasser in einer Blechkanne kocht. Sie bürstet ihre langen schwarzen, nach vorne herunterhängenden Haare, während sie ihre ältere Schwester Falastin bittet, ihr das sonnengelbe Hemd, das so gut zu ihrem langen blauen Rock und Schleier passt, zu leihen. Aber es ist nichts zu machen. Isra'a sei das letzte Mal, als sie sich von Falastin einen Rock geborgt habe, zu sorglos damit umgegangen, sagt Falastin, außerdem habe sie ihr einen Ölfleck verschwiegen. Niemand auf der Welt werde Falastin dazu bringen, Isra'a jemals wieder etwas auszuleihen.

Plötzlich erscheint Umm Mohammeds müdes Gesicht in der Tür, und die beiden Schwestern verstummen. Die

Kanne pfeift. Umm Mohammed nimmt sie vom Feuer, gibt einige Löffel Tee und Pfefferminzblätter hinein und wendet sich den streitenden jungen Frauen zu. Warum sich diese noch im reifen Alter von siebzehn und zweiundzwanzig Jahren um Kleidungsstücke zanken sei ihr schleierhaft, sagt sie beiläufig, wohl wissend, dass der Streit daher rührt, dass sich Falastin von ihrer jüngeren Schwester oft in den Hintergrund gedrückt fühlt. Sie wirft ihrer ältesten Tochter einen Moment lang einen strengen Blick zu, der sie durchschaut. Falastin lenkt ein, indem sie Isra'a nun mit übertriebener Großzügigkeit die Erlaubnis erteilt, das gewünschte Hemd aus ihrem Schrank zu nehmen. Schwerfällig bereitet Umm Mohammed das Frühstück zu. Es kommt ihr vor, als wäre dies bereits das Abendessen und der Tag schon wieder zu Ende, so müde ist sie. Doch es trennen sie noch viele Stunden von der Nacht.

Isra'a schaltet das Radio ein. Aus dem Sender Saout Falastin – die Stimme Palästinas – ertönen Nachrichten über die aktuelle Situation im Westjordanland: keine Abriegelungen oder Ausgangssperren, die Checkpoints der Armee unverändert, zumindest im Norden um Dschenin herum. Nur in Nablus sind letzte Nacht starke Truppenverbände eingerückt, und es ist zu heftigen Gefechten gekommen, zwei Tote, einige Verletzte. Ob ihre Cousinen das Wochenende über in Dschenin bei ihren Eltern gewesen seien, fragt Falastin, aber Umm Mohammed vermutet, dass ihre Nichten in Nablus geblieben sind, da die Stadt abgeriegelt war.

Usama, ruft sie laut durch das Haus, Dschenin sei heute frei, er solle seinen Vater wecken, der sich die Bettdecke über den Kopf gezogen hat, als sein Sohn auf Zehenspitzen in das lichtdurchflutete Schlafzimmer kommt, sanft an der Schulter Abu Mohammeds rüttelt und ihm sagt, dass es schon spät sei. Er solle aufstehen, was er sich von seinem erwachsenen Kind nicht zweimal sagen lassen will. Mürrisch richtet er seinen stämmigen Körper auf, um anschließend im Bad zu verschwinden.

Am Waschbecken lässt er kaltes Wasser über sein Gesicht laufen, dreht den Hahn weiter auf und hält seinen Kopf unter den Strahl. Schlagartig wird er aus seiner Schlaftrunkenheit und seinem Traum von einem gut gehenden Elektronikgeschäft herausgerissen, um in seine Wirklichkeit als Lehrer zurückzukehren – ein Leben, von dem er glaubt, dass es nichts mehr zu bieten habe, da jeder Tag dem anderen gleicht, mit denselben Schülern, denselben Fragen, demselben Unterricht. Dabei kann er sich nicht einmal dieses Alltags sicher sein. Besonders dann, wenn Dschenin abgeriegelt ist, verbringt er mit seiner Frau manchmal ganze Vormittage damit, einen Weg in die Stadt zu finden: über die Anhöhen vor Dschenin, ob zu Fuß oder auf einem Esel, mit der ständigen Angst, von der Armee entdeckt zu werden, wie Kriminelle auf der Flucht, deren Verbrechen es ist, Kinder und Jugendliche zu unterrichten, von denen viele nichts anderes als Gewehre im Kopf haben.

Nach dem Frühstück zerstreut sich die Familie in die verschiedenen Richtungen, um ihren alltäglichen Verpflichtungen nachzugehen: Isra'a in die Schule, Usama nach Toubas an die Amerikanisch-Arabische Universität, wo er Rechtswissenschaften studiert, und Falastin nach Dschenin an die offene Universität, wo sie sich in Pharmazie eingeschrieben hat und hin und wieder Vorlesungen besucht. Nur Abu Mohammed und seine Frau bleiben dann noch zurück, doch brechen sie wenig später ebenfalls auf, um in ihrem klapprigen Toyota nach Dschenin zu fahren, wo sie ihrer Arbeit als Lehrer nachgehen.

An diesem Tag trägt der warme Wind das Gezwitscher der Vögel in den Ort hinein, wirbelt am Straßenrand liegende Plastiktüten und Gestrüpp durch die Luft, verleiht dem Tag einen Anstrich von Fröhlichkeit, die Umm Mohammed in sich aufsaugt. Sie blickt aus dem Wagen und muss unwillkürlich an einige ihrer Schülerinnen denken, die gestern verängstigt in den Unterricht gekommen waren, weil die Armee in einer Blitzoperation mit schweren Panzern in die Stadt eingefallen war und einen jungen, bewaffneten Mann getötet hatte – zum Entsetzen der Menschen auf den Straßen. Darunter waren auch Kinder auf ihrem Weg in die Schule, die unmittelbar Zeugen dieses Gewaltakts wurden. In Angst und Panik waren sie in die Schule gekommen.

In Umm Mohammeds Gesicht breitet sich Ratlosigkeit aus; sie hatte lange darüber nachgedacht, wie sie diesem Trauma begegnen könnte, ob sie es lindern, gar aufheben können würde. Sie hatte sich gefragt, wie die Mädchen nun schliefen und ob sie aufgrund ihrer Angst überhaupt weiterhin den Schulweg wagen würden.

Während sie in diesen Gedanken versinkt, ist Abu Mohammed damit beschäftigt, den von Panzern hinterlassenen Schlaglöchern und Gräben im Asphalt auszuweichen. Plötzlich kommt ein Mann noch vor dem Ortsausgang auf die Straße gelaufen und bedeutet ihnen mit über dem Kopf ausgestreckten und wild winkenden Händen anzuhalten. Es ist Abu Khaled, ein Bauer aus Um Al-Rihan, der sie erregt auffordert, sich eine Verfügung der Armee anzuschauen.

Einige Männer und Frauen aus der Nachbarschaft stehen wütend in einer Gruppe zusammen, diskutieren und versperren die Sicht auf das Schreiben, das Anlass des Zorns ist. Umm Mohammed drängt sich an einigen vorbei. Am Stamm eines Baumes flattert ein einfacher Zettel im Wind, handgeschrieben und in schlechtem Arabisch. Er informiert die Bewohner darüber, dass unweit von Um Al-Rihan, ganz in der Nähe der jüdischen Siedlung Shaqed, der Sicherheitszaun gebaut wird, den die Zeitungen und Fernsehnachrichten seit Monaten angekündigt haben.

Umm Mohammed zieht ihre Augenbrauen hoch, sie kann es nicht ganz glauben, vergewissert sich, ob das Schreiben nicht ein Werk der Siedler ist, entdeckt aber den unverkennbaren Stempel der israelischen Behörden rechts unten am Rand des Dokuments. Sie wollen, dass sich alle Bauern der Gegend am nächsten Tag gegen drei Uhr am Nachmittag an der Zufahrt nach Shaqed einfinden, damit sie mit uns zusammen den geplanten Verlauf des Zauns begehen können, sagt Abu Khaled zu Abu Mohammed, der noch immer ungläubig auf den Zettel starrt. Angst und Wut steigen in den hier versammelten Menschen hoch, die ihr Schicksal in diesem Moment nur erahnen können. Doch reicht dieses Vorgefühl aus, um düstere Zukunftsaussichten zu malen und die Gemüter zu erhitzen.

Rundherum vernimmt Umm Mohammed klagende Fragen, was denn mit dem Grund und Boden passieren werde, jener Erde, die man bewirtschaftet und die das tägliche Überleben ermöglicht. Die Äußerungen verdichten sich zu einer dunklen Wolke bedrohlicher Ungewissheit, die über dem Dorf schwebt, während Abu Mohammed, der hier von allen geachtete Lehrer, noch immer nicht zu reagieren weiß und den Sätzen, die in blauer Schrift auf dem Fetzen Papier geschrieben stehen, keinen Glauben schenken will. Warum sollte man auch solch eine Maßnahme auf diese Weise bekannt geben, fragt er, eine offizielle Verfügung, die klammheimlich an einem alten und abgelegenen Mandelbaum angebracht wird? Und wenn dies tatsächlich wahr wäre, weshalb sollten die Israelis sie denn überhaupt davon in Kenntnis setzen wollen, wo sie doch ohnehin jeden Tag machten, was sie wollen?

Und was dies denn sei, fällt ihm Abu Khaled scharf ins Wort, deutet mit einem Finger auf den Abdruck mit den hebräischen Lettern und fügt hinzu, dass es sich wohl eindeutig um den Stempel der israelischen Militärverwaltung handele. Und im Übrigen könne man das Ganze auch andersherum betrachten, meint Abu Murad, der gerade Vater geworden ist und an der Echtheit des Dokuments keinen Zweifel hegt; denn dieser Zettel sei leicht zu übersehen, und das biete den Vorteil, dass nur wenige davon Notiz nähmen und die Behörden dadurch Schwierigkeiten mit den Anwohnern gering hielten, wenn nicht sogar umgehen könnten. Es sei doch nicht das erste Mal, dass sich die Beschlagnahmung von palästinensischem Eigentum auf diese Weise, nämlich regelrecht schleichend und ohne dass jemand davon gewusst habe, vollziehe.

Umm Mohammed verlässt in Gedanken für einen Augenblick die Gegenwart, und sie erinnert sich an Vergangenes, an jenen Tag, der sich fest in ihrem Kopf eingeprägt hat: Damals war sie zum ersten Mal mit der Willkür in ihrer äußersten Form konfrontiert worden. Über Generationen hinweg war östlich von Um Al-Rihan ein großer, idyllischer Olivenhain im Besitz der Familie ihres Mannes gewesen. Diesen Ort suchten sie besonders gern im Sommer auf, weil er in der Tageshitze Schatten spendete und aufgrund der Hochlage dort immerfort ein kühler Wind wehte. Die Kinder spielten, die Erwachsenen saßen auf mitgebrachten Klappstühlen oder auch einfach nur auf ausgebreiteten Decken am Boden, aßen, tranken, diskutierten und lachten – meist bis spät in die Nacht hinein. Und sie erinnert sich, wie sie während ihrer Schwangerschaft mit Mohammed, ihrem ältesten Sohn, dort hinausfuhr, Bücher vor sich ausbreitete und für ihr Studium lernte, umgeben von den alten Bäumen, den schweigenden Zeugen der Geschichte dieses Landes. Zurückgezogen in der Stille und im Bewusstsein dessen, was sie tagtäglich durch die Besatzung zu Gesicht bekam, hatte sie zuweilen geglaubt, dass das anscheinend fröhliche Gezwitscher der Vögel auf den Ästen in Wirklichkeit nichts anderes sei als der Bäume trauriger Gesang über die verlorenen Seelen jener Menschen, die sich tagaus, tagein bekriegen. Aber sie war eine werdende Mutter, trug Leben und Hoffnung in sich und hatte den unerschütterlichen Willen, sich nicht tatenlos dem Schicksal zu ergeben.

Shaqed war die Siedlung unweit des Hains, den Umm Mohammed und ihr Mann eines Abends abgesperrt vorfanden, da er konfisziert worden war. Und als sie sich darüber hinwegsetzten und den Hain dennoch betraten, erschien die Grenzpolizei, die ihnen unter Gewaltandrohung verbot, das Gelände jemals wieder zu betreten; denn dieses Land sei nun jüdischer Besitz, auf dem sie nichts zu suchen hätten. All die anschließenden Bemühungen, zu ihrem Recht zu kommen, waren aussichtslos und scheiterten, da die Israelis sich das, was sie brauchten, ohne Rücksicht nahmen, ohne zu fragen oder es gar anzukündigen. Wozu auch, sie sind Besatzer, und Besatzer herrschen durch militärische Stärke, durch Gewehre, Panzer und Kampfflugzeuge. Nicht aber durch das Recht.

Was für eine unsinnige Diskussion, denkt sich Umm Mohammed, bemerkt aber, dass ihr Mann und all die anderen sich ihr konsterniert zuwenden: Was ihr durch den Kopf ging, war ihr laut und in abfälligem Ton herausgerutscht. Nachdem sie unbeabsichtigt die Aufmerksamkeit der Gruppe auf sich gezogen hat, will sie ihre Überlegung nun auch zu Ende führen, blickt nervös, aber entschlossen in die Gesichter und sagt, dass es doch vollkommen egal wäre, ob dieser Zettel nun echt sei oder nicht. Tatsache sei doch die Mauer, welche sich an anderen Orten noch im Bau befinde oder bereits fertig gestellt sei. Solle nicht die Situation, in welche die Mauer das Dorf und seine Bewohner bringen werde, Gegenstand des Gesprächs sein, jener Umstand, dass sie eben nicht entlang der Waffenstillstandslinie verlaufe, sondern mehr als drei Kilometer weiter östlich, und damit Um Al-Rihan vom Westjordanland abschneide? Das lasse sich aus dem entnehmen, was Abu Khaled zu Anfang gesagt habe, denn wenn sich die Bauern tatsächlich morgen an der Zufahrtsstraße nach Shaqed einfinden sollen, dann werde aller Wahrscheinlichkeit nach die Mauer auch dort in der Nähe verlaufen.

Umm Mohammed hatte während ihrer Ausführung automatisch den Blick ihres Mannes gesucht, in dem sie lesen konnte wie in einem offenen Buch. Die Ruhe, die in seinen Augen lag, hatte ihr Halt gegeben und ihr die Unsicherheit genommen, als Frau in einer Männergruppe entschieden und überzeugend aufzutreten. Nun nickt er.

Was stimme oder nicht, erführen sie morgen, wenn sich alle geschlossen zu der Begehung einfänden, fügt sie abschließend hinzu.

2

Sie weiß nicht, warum sie seit gestern, nachdem sie und ihr Mann sich nach der Diskussion auf den Weg in die Schule gemacht hatten, die ganze Zeit über eine unerklärliche innere Unruhe und Anspannung verspürt. Sie hat das Gefühl, ein Knoten, ein Fremdkörper, hat sich in der Magengegend festgesetzt und wütet nun und bringt alles durcheinander.

Der Unterricht in ihrer Klasse hatte sie überfordert, denn sie war schon zu sehr mit dem nächsten Tag beschäftigt, so dass sie sogar ein Mädchen lautstark zurechtwies, welches beschämt das Gesicht senkte. Dabei hatte es nichts weiter gemacht, als die Banknachbarin um einen Stift zu bitten.

Und dann der Wurm, ja, es ist wie ein Wurm, denn dieser Knoten bewegt sich von einem Körperteil zum anderen, sticht und zwickt, gönnt ihr keine Ruhe und hat lange davor schon den Kopf befallen, in dem unentwegt ein Gedanke dem anderen hinterherjagt, wie die Gegenwart der Zukunft.

Es ist fünfzehn Minuten vor drei Uhr, und ihr Mann ist noch immer nicht da; typisch, weil er nie zum vereinbarten Zeitpunkt auftaucht. Seine Ausflüchte sind immer die gleichen: entweder der schrottreife Wagen oder ein Checkpoint, an dem ihn die Soldaten aufhielten, nie aber gibt er sich selbst die Schuld und seiner Veranlagung, langsam zu sein und zu trödeln, was sie immer wieder zur Verzweiflung treibt.

Isra'a kommt aus der Schule und nimmt gleich den Schleier ab, um ihr zusammengestecktes Haar zu öffnen, und Umm Mohammed fragt, ob sie an der Zufahrt nach Shaqed Leute aus dem Dorf gesehen habe. Isra'a schüttelt den Kopf, sagt, sie habe Hunger, geht in die Küche und zieht ein langes Gesicht, als sie feststellen muss, dass ihre Mutter nichts gekocht hat. Im Kühlschrank gebe es noch die Bamjie (Okraschoten) von gestern, Isra'a solle so lieb sein und sich das Essen selbst warm machen, denn jeden Augenblick komme ihr Vater und dann müssten sie gleich wieder los.

Isra'a kippt das Essen in eine Pfanne, entzündet genervt die Flamme des Gasherds mit einem Streichholz und rührt lustlos mit dem Kochlöffel in der Bamjie herum, so als ob sie einen Eimer Wandfarbe anmischen würde. Ungeduldig auf ihren Mann wartend, beobachtet Umm Mohammed sie und schüttelt ärgerlich den Kopf. Aber sie denkt nicht daran, ihrer Tochter zur Hand zu gehen, weil diese genau das möchte, damit sie in ihr Zimmer gehen kann, um Musik zu hören, Lieder über die Sehnsucht nach vergangener Liebe wie jene von Amr Diab. Oft genug ist Isra'a im ganzen Haus zu hören, wie sie mitsingt, und manchmal geht Umm Mohammed dann in ihr Zimmer und bittet sie, etwas leiser zu sein, nicht weil sie eine schreckliche Stimme hätte, nein, ganz im Gegenteil, sondern einfach weil es spät ist oder aber ihr Vater seine Ruhe haben möchte: Dann blickt sie in ein junges und zartes Gesicht, das sich nach Perspektiven und Hoffnungen regelrecht verzehrt.

Ein lautes Hupen reißt Umm Mohammed aus den wenigen Augenblicken fern aller Ungeduld und Unruhe. Es ist Abu Mohammed, der endlich, mit halbstündiger Verspätung, den Weg nach Hause gefunden hat. Schnell nimmt sie ihre Tasche, ruft Isra'a zu, dass sie in ein bis zwei Stunden zurück sein müssten, und eilt zur Haustür hinaus.

»Es ist immer das Gleiche«, sagt sie ihrem Mann beim Einsteigen und blickt ihn finster an, weil ihr dieses Treffen so wichtig ist. Dann schlägt sie die Beifahrertür ärgerlich hinter sich zu. Das Auto falle ohnehin schon beinahe auseinander, und deshalb solle sie ein bisschen aufpassen, meint Abu Mohammed, während er mit beiden Händen am Lenkrad durch eine Bewegung seines Kinns zur Wagentür deutet. Außerdem habe er sich verspätet, weil er in einer geschäftlichen Angelegenheit unterwegs gewesen sei. Sie nickt ungläubig, »geschäftliche Angelegenheit«, wiederholt sie ironisch, will jedoch nicht weiter darüber sprechen, weil sie von seinem Traum, einen Elektroladen zu führen, weiß, diesen aber nicht ernst nehmen kann und will – wie auch, hatte ihn doch bislang sein unternehmerisches Gespür fast immer getrogen und sie nur in unnötige Kosten gestürzt.

Sie fahren los, die Hauptstraße durch Um Al-Rihan entlang. Irgendwie wirkt der Ort leblos, wie ein ausgestelltes Skelett, das Neugierigen veranschaulichen soll, wie der lebende Körper unter der Oberfläche aussieht, um das

Fundament und die Möglichkeiten seiner Zerstörung zu begreifen.

Der Wurm macht sich bemerkbar, löst wieder Unruhe in Umm Mohammed aus, weckt den Antrieb, sich gegen die Parasiten zu wehren, die die Haut ihres Lebens zerfressen wollen, um ihre Existenz und Identität auszulöschen, so wie es bereits durch die Mauer in der palästinensischen Stadt Kalkilia geschieht.

Außerhalb Um Al-Rihans stellt Umm Mohammed in ihrer Vorstellung die Zeit zurück, zu jenen Tagen, als es hier noch keine jüdischen Siedlungen gab und die felsigen Hügel, auf welchen sie nun wie Trutzburgen thronen, spärlich mit Mandel- oder Olivenbäumen bewachsen waren. Unberührt war das Land, keine Straßen zersetzten die Gegend, keine Fernmeldemasten oder Radaranlagen störten die fast schon verblichenen Bilder ihrer Erinnerung, und die Menschen, die hier lebten, fügten sich harmonisch in den Lauf der Dinge ein.

Karren, die von Eseln gezogen wurden, transportierten Holz und Getreide, und die Pflüge wurden von Ochsen oder auch Pferden gezogen. Selbst das Wasser hatte man aus den Brunnen geholt und in große Kanister gegossen, welche von Maultieren getragen und zu den einzelnen Häusern gebracht wurden, um dort die Wassertanks zu füllen, die auf dem Dach standen und den Verbrauch einer ganzen Woche decken mussten.

In jenen Tagen überprüfte Umm Mohammeds Mutter, dass ihre Kinder nicht länger als drei Minuten duschten, und zwar nur einmal in der Woche; ansonsten wuschen sie sich über einer Waschschüssel. Und wenn sie ans Meer fuhren, genossen sie es, im Wasser zu baden, dem Horizont entgegenzuschwimmen, zu tauchen, so lange wie sie wollten, ohne das ermahnende Ticken der Uhr, das ihnen nur wenige Minuten in dem kühlen Nass ließ, denn Wasser war und ist noch immer das kostbarste Gut in diesem Land. Doch seitdem es die jüdischen Siedlungen gibt, die einen Großteil des Wassers nutzen und es den Palästinensern vorenthalten, seit dem Ausbruch der zweiten Intifada vor einigen Jahren, seit dem Bau der Mauer, wächst eine Generation heran, die das Meer noch nie gesehen hat, obwohl es nur wenige Kilometer entfernt ist. Es wachsen Kinder auf, die nur in den Erzählungen baden können, die aber niemals das salzige Wasser auf der Haut gespürt haben.

»Schau, einige sind schon da«, sagt Abu Mohammed und bringt sie mit seinen Worten zurück in die Gegenwart. An der von einer Kreuzung abgehenden Siedlerstraße steht eine verloren wirkende Gruppe von Männern. Da dieser sauber asphaltierte und breite Verkehrsweg nur den Bewohnern von Shaqed vorbehalten und ihnen, als Palästinensern, die Benutzung untersagt ist, stellen Abu Mohammed und seine Frau den Wagen wenige hundert Meter entfernt am Straßenrand ab, steigen aus und begeben sich zu jenen, die sich bereits eingefunden haben und angespannt warten. Immer wieder blicken sie sich unsicher um, halten Ausschau nach einem Armeejeep oder einem Wagen, der darauf hindeuten könnte, dass sich darin Beamte der Militärverwaltung befinden. Sie sind weniger wegen der fortgeschrittenen Zeit ungeduldig, sondern befürchten vielmehr, von einem vorbeifahrenden und womöglich verrückt gewordenen Siedler beschossen werden zu können – ein Risiko, dem sie sich durch ihre bloße Anwesenheit an dieser Weggabelung aussetzen.

Die Tatsache, dass Umm Mohammed die einzig anwesende Frau ist, verbannt sie in den Hintergrund und erlaubt ihr lediglich, den Wartenden ein flüchtiges Salamu Aleikum zuzuwerfen, während ihr Mann alle der Reihe nach mit Handschlag begrüßt. Sie fühlt sich wie sein Anhängsel, und sie bebt innerlich bei dieser unangenehmen Empfindung der bedeutungslosen Anwesenheit.

»Wo sind die Frauen?«, schießt es ihr durch den Kopf. »Geht sie die ganze Sache nicht genauso viel an wie diesen Herren hier, oder herrscht bei ihnen die trügerische Ansicht, dass solche Angelegenheiten ausschließlich Männersache sind?« Oft genug äußerte sie über diesen Zustand ihren Unmut, ob ihrem Mann gegenüber oder anderen Frauen wie ihrer Schwester und Freundinnen. Und dennoch kommt sie immer wieder an den Punkt, der sie an dem Willen der Frauen, nach Gleichberechtigung zu streben, zweifeln lässt. Sie nimmt sich das Versprechen ab, nicht stillschweigend daneben zu stehen, wenn die Soldaten und Beamten eintreffen, sondern die Initiative zu ergreifen, als Frau, die das Rückgrat ihrer Familie bildet, als Palästinenserin, die Teil dieser unterdrückten Gesellschaft ist, als Mensch, der sein Recht einfordert.

Plötzlich kommt ein Pick-up mit quietschenden Reifen auf der gegenüberliegenden Straßenseite zum Stehen, und aus dem Wagen, mit einem Gewehr in der Hand, steigt ein untersetzter Mann, der auf dem kahl rasierten Kopf eine Kippa trägt. Es ist ein Siedler, der bewaffnet und in sicherem Abstand die Gruppe aus kleinen und aggressiven Augen beobachtet und auf Hebräisch anbrüllt. Er ist nervös, geht einen Schritt vor, wieder zurück, dann zur Seite, seinen Blick immer auf die verängstigten Leute vor ihm geheftet, obwohl hierbei leicht der Eindruck entsteht, dass er es ist, der sich bedroht fühlt. Wozu sie hier stünden, was sie hier zu suchen hätten, kreischt er ihnen entgegen, wieder und wieder, wie eine Schallplatte, die einen Sprung hat und ein ums andere Mal in der immer gleichen Tonlage dieselbe Zeile wiederholt.

Keiner bis auf Abu Mohammed, der in jüngeren Jahren hin und wieder in Israel auf Baustellen gearbeitet und dadurch die hebräische Sprache erlernt hat, kann verstehen, was der Siedler herumschreit, aber es lässt sich problemlos aus der Situation erschließen. Mit seinem stattlichen Körper, der den Siedler um einiges überragen würde, stünde er neben ihm, tritt er hervor, hebt beide Hände zu einer beschwichtigenden Geste vor den Körper und sagt mit bemüht ruhiger Stimme, dass die Militärverwaltung sie aufgefordert habe, sich hier einzufinden, um den Verlauf des Zauns zu begehen. Es sei also alles in Ordnung, und bestimmt kämen die Beamten gleich, der Siedler solle sich beruhigen. Davon wisse er nichts, gibt dieser zurück. Mit dem Lauf der Waffe zeigt er zu den Autos und bedeutet ihnen, einzusteigen. Los, los, drängt er die Gruppe, sie würden auch in ihren Fahrzeugen warten können, und die Fenster sollten sie hochkurbeln. Abu Mohammed fügt sich, blickt hilflos zu seiner Frau, übersetzt den anderen, was der Siedler verlangt, und geht mit Umm Mohammed zurück zu seinem alten Toyota.

Ein zweiter Pick-up mit gelbem Kennzeichen, dem israelischen, hält, und zu dem ersten Siedler gesellt sich zu dessen Beruhigung ein weiterer. Sie postieren sich jeweils am Ende und Anfang der Wagenreihe, so dass ihnen keine Bewegung verborgen bleiben kann.

Es ist bereits kurz vor vier, und noch immer ist weit und breit niemand und nichts zu sehen. Je mehr Minuten verstreichen, desto mehr erhärtet sich für Umm Mohammed der Eindruck, dass dieses Treffen nicht mehr als eine weitere der unzähligen Schikanen ist, die sie regelmäßig ertragen müssen. Am liebsten würde sie aussteigen und den palästinensischen Männern zurufen, dass sie sich das nicht bieten lassen, dass sie sich zur Wehr setzen und nicht klein beigeben sollten, nur weil die Juden Waffen hätten. Doch die Männer tragen genau diesem Umstand Rechnung, denn was könnten sie gegen zwei bewaffnete Israelis schon ausrichten; zwei Menschen, die nicht zögern würden, von ihren Waffen Gebrauch zu machen. Es ist eine tief verwurzelte Angst, die sie, die Palästinenser, daran hindert, sich denjenigen, die ihnen das Land stehlen, entgegenzustellen;

eine Haltung, die sich mitunter auf Allah beruft, denn er wird es schon richten.

Das Brummen von schweren Motoren ist nun zu hören. Abu Mohammed blickt in den Rückspiegel und erkennt zwei Armeejeeps, die mit Blaulicht die Straße hochfahren und direkt neben den Siedlern halten. Diese wechseln mit den Soldaten einige herzliche Worte, bevor sie sich freundschaftlich von ihnen verabschieden, in ihre Pick-ups steigen und in Richtung Shaqed davonfahren.

Erleichtert möchte Umm Mohammed die Tür öffnen, um auszusteigen, doch ihr Mann hält sie zurück. Sie solle sitzen bleiben, sagt er ihr ernst, als ein Jeep naht. Mit einem Winken werden sie aufgefordert, dem Armeefahrzeug hinterherzufahren. Wie auf einen Startschuss hin setzen sich die Autos, allesamt alt und klapprig, in Bewegung und folgen einem der beiden Jeeps in die Richtung, aus der sie gekommen sind, während der zweite das Ende der Kolonne bildet. Nach einem Kilometer biegen sie rechts von der Straße in einen Feldweg ab, der sie zwischen Äckern und Olivenhainen hindurchführt, bis sie zu einem brachliegenden Feld gelangen. Dort ruhen bereits riesige Stahlkolosse, deren Aufgabe es sein wird, die Erde aufzureißen, um den »Sicherheitszaun« in palästinensischen Boden einzuzementieren.

Umm Mohammed steigt aus, blickt umher, ungläubig, fassungslos, denn überall sind bereits Landvermesser am Werke, und auch Abu Mohammed steht verloren unweit eines der großen Bulldozer, der ihn klein und verloren wirken lässt. Er würde am liebsten die Flucht ergreifen, da ihn der Anblick dieser Geschäftigkeit zutiefst deprimiert, ihm nur noch mehr vor Augen führt, dass sie alldem machtlos gegenüberstehen.

Ein israelischer Offizier ruft sie zu sich und erklärt, in welchen Abschnitten der »Sicherheitszaun« verlaufen, welches Land hierzu benötigt und deshalb konfisziert werde. Man werde auch einen Sicherheitsbereich einrichten, so dass die Breite der gesamten Anlage ungefähr sechzig bis siebzig Meter umfassen werde.

Die nüchternen Ausführungen des Soldaten treffen Abu Mohammed, seine Frau und die Bauern mitten ins Herz, berauben sie ihrer Stimme. Sie blicken den Mann in der olivgrünen Uniform sprachlos an, in Reglosigkeit verharrend.

Das könne doch nicht sein, ruft schließlich ein Bauer aufgeregt, warum sie die Mauer nicht entlang der Grünen Linie bauen würden, der offiziellen und anerkannten Grenze zwischen Israel und dem Westjordanland, die hinter Um Al-Rihan läge. Aber nicht hier, nicht, indem man ihm seine Lebensgrundlage nehme, das könne nicht sein, das könne doch wirklich nicht sein, fügt er immer wieder hinzu. Im selben Augenblick, in dem er sich klagend fallen lässt, weil er nicht mehr weiterweiß, fangen ihn zwei Arme auf, stützen ihn, während er noch immer vor sich hin murmelt, dass das doch nicht sein könne. Der Gesichtsausdruck des Israeli verrät keine Gefühlsregung, ein Felsbrocken, den nichts erschüttern kann, und ohne ein Anzeichen von Bedauern, hart und unbarmherzig, sagt er, dass es nun mal so sei, so seien die Gesetze.

Umm Mohammed kann und will sich nicht länger zurückhalten. Sie stellt sich vor dem Soldaten auf, denn sie glaubt nicht, dass sie als Frau von ihm etwas zu befürchten habe. Sie schleudert ihm entgegen, was das für Gesetze seien, die ihnen das Land nähmen und sie hinter einem so genannten Sicherheitszaun einsperren würden. Der Mann fällt ihr ins Wort, indem er ihr mit eisiger Miene sagt, dass die Palästinenser es sich selbst zuzuschreiben hätten, wegen des Terrors, der unschuldige Israelis treffe. So ein Unsinn, erwidert sie, der wahre Terror sei die Besatzung, das, was die Israelis hier machen würden, der Landraub, die Politik des täglichen Tötens; egal ob es Männer, Frauen oder Kinder seien, unschuldig oder nicht, es interessiere sie nicht, es seien ohnehin nur Araber. Und wie sage man so schön in seiner über alles gepriesenen Armee: Nur ein toter Araber sei ein guter Araber, so sehe offenbar ihre Achtung vor dem Leben aus.

Der Soldat spitzt den Mund, möchte etwas sagen, doch sie lässt ihn nicht zu Wort kommen. Sie fährt so lautstark fort, dass selbst die Landvermesser in einiger Entfernung auf sie aufmerksam werden und Abu Mohammed sie nun sanft am Arm packt, um sie zu beruhigen. Ohne Erfolg, denn sie reißt sich los und lässt all ihrer Wut freien Lauf: Überall die Siedlungen, was hätten diese Leute hier zu suchen, auf dem Land, das ihnen nicht gehöre; in Wirklichkeit würden sie die Mauer bauen, um nur noch mehr Land zu annektieren, damit die Siedlungen zum israelischen Kernland gehören könnten. Die wahre Absicht sei nicht die Sicherheit, sondern der Landraub.

Der Soldat versucht zwar, all ihre Argumente an sich

abprallen zu lassen, doch aus unerfindlichen Gründen hat sie ihn aus der Reserve gelockt, denn er unterbricht nun ihren Redefluss, laut und hart, schmettert zurück, dass dies jüdisches Land sei, das Gott ihnen in der Bibel versprochen habe, deshalb seien sie hier, und sie würden bleiben, was auch immer geschehe. In seiner Armee gebe es keine Mörder, die Unschuldige töten würden, so etwas gehe nur von den Palästinensern aus, und wenn sie nicht augenblicklich ihren Mund halte, werde er sie verhaften. Sie steht vor ihm und streckt ihre Arme aus. Er solle sie doch mitnehmen, denn diese Drohung zeige ihr nur, dass ihm die Argumente ausgingen, da es an dieser Stelle immer wieder hieße, in der Bibel stehe dies und jenes.

Der Soldat ist sichtlich verärgert und will ihr den Mund verbieten, und wenn er dazu zum Äußersten greifen müsste. Doch dazu kommt es nicht, denn Abu Mohammed greift nun ein, packt seine Frau diesmal fest am Arm und bittet sie, sich zu beruhigen. Sie führen nun nach Hause, bevor noch etwas Schlimmes passiere.

Was sie sich dabei gedacht habe, fragt Abu Mohammed seine Frau im Auto, den Soldaten so anzuschreien, damit hätte sie sich womöglich Schläge oder Arrest einhandeln können.

Na und, solle sie sich von ihnen denn alles gefallen lassen, fragt sie gekränkt zurück und blickt ihren Mann dabei verächtlich an.

3

So richtig erklären, was mit ihr geschehen und wie es überhaupt zu ihrem Ausbruch gekommen ist, kann Umm Mohammed nicht. Aber sie glaubt, dass sie die Angst einfach vergessen hatte, so wie man seine Handtasche zu Hause liegen lässt, weil man nicht daran gedacht hat, sie mitzunehmen. Es wäre auch nicht weiter aufgefallen, da sich bis auf den Ausweis und etwas Geld ohnehin nur unwichtiges Zeug darin befand und die Tasche deshalb nur unnötiger Ballast gewesen wäre. So erklärt sie es sich und auch ihrem Mann, der sie fragend anschaut und mit ihrem Vergleich nichts anzufangen weiß.

Es ist Abend. Umm Mohammed sitzt mit Abu Mohammed zusammen auf den Treppenstufen vor dem Haus, während am Himmel der Mond nach und nach die Sonne ablöst. Die Luft ist frisch, und ein leichter Wind streicht über den Boden, wirbelt hier und dort Sand und Staub auf und haucht den ansonsten leeren Straßen etwas Leben ein.

Nach Umm Mohammeds verächtlicher Äußerung im Auto hatten sie den Rest des Heimwegs wortlos zurückgelegt, eine kaum zu überwindende Mauer des Schweigens, die Abu Mohammed immer dann um sich errichtet, wenn ihm an seiner Frau und ihrem Verhalten etwas missfällt. Dieses Mal war es der Vorwurf der Feigheit, der in ihrem Tonfall mitschwang und ihn kränkte. Dabei musste sie wissen, dass solche Ausbrüche nicht seinem Wesen entsprechen. Er war beleidigt, und selbst mit den Kindern hatte er beim Abendessen nicht ein Wort gewechselt. Später verfolgten sie gemeinsam die Nachrichten des Senders Al Dschasira, sahen wieder und wieder die Bilder von zerstörten Wohnhäusern in Gaza und von dem Mauerbau im Westjordanland, während westliche Politiker in ihren Kommentaren unentwegt, aber vergeblich beide Seiten zum Gewaltverzicht aufforderten. Aufgrund der zahlreichen Berichte und Reportagen stieg in Abu Mohammed das Gefühl hoch, die Welt reduziere sich auf den für sein Volk aussichtslosen Krieg in diesem Land, und es entfuhr ihm ein tiefer, schmerzerfüllter Seufzer, der die Wand des Schweigens durchbrach.

Im Beisein seiner Familie, nie aber vor anderen, schimpft er leise, verflucht die Israelis und deren Handlanger, die Amerikaner, schüttet all die Säcke voller Verzweiflung und Frustration aus. Er lässt seine aus Hilflosigkeit entstandene Wut zu, die er jedoch Momente später abzustellen weiß, wenn er unvermittelt und ohne die anderen Anwesenden zu fragen den Fernseher ausschaltet.

Gedankenverloren wirft Abu Mohammed einen Stein auf die Straße und scheucht damit zwei Katzen auf, die erschrocken zu ihm hochblicken, um dann davonzurennen und hinter einem mit Staub bedeckten Strauch zu verschwinden. Seine Frau hat die Schuhe ausgezogen und den Schleier abgelegt, denn jetzt, da die Nacht hereinbricht und sie im Schatten des Hauses sitzt, wird sie schon niemand sehen.

Sie fühlt sich, als ob sie sich von etwas befreit hat, von einer Last, die sie schon lange mit sich herumtrug und die durch all die schmerzlichen Erfahrungen ihrer Mitmenschen – so wie beispielsweise jene ihrer Nichten, die auf dem Weg zur Universität in Nablus immer wieder den Erniedrigungen der Soldaten ausgesetzt sind – schwerer und schwerer wog. Diese unerträgliche Last hatte einen Zorn in ihr hervorgerufen, der leicht im Hass hätte münden können.

Abu Mohammed hingegen ist hin- und hergerissen zwischen Bewunderung und Geringschätzung dessen, was sich Umm Mohammed an diesem Tag dem Soldaten gegenüber erlaubt hatte. Bewunderung empfindet er, weil sie in einem Moment der Sprachlosigkeit die Kraft und den Mut besaß, ohne den geringsten Anflug von Angst das auszusprechen, was gesagt werden musste. Doch Geringschätzung fühlt er, weil sie durch diesen unkontrollierten Ausbruch eben nicht nur sich, sondern auch andere in Gefahr gebracht hatte. Ihr Verhalten war unvorsichtig, aber mutig, das ist ihm bewusst. Und trotz dieser Einsicht plagt ihn die Sorge, was denn die Leute denken könnten, wenn sich herumspricht, wie zügellos sie sich verhält, und er sich dadurch dem Vorwurf ausgesetzt sehen könnte, seiner Frau keine klaren Schranken zu setzen.

Er wisse um ihr Temperament, sagt er vorsichtig, es sei auch richtig, sich den Israelis entgegenzustellen, fragt aber, ob sie nicht glaube, dass sie dies besser den Männern überlassen sollte. Ihr Blicke treffen sich, und in Umm Mohammeds Augen entdeckt er ein merkwürdiges Licht, ein Funkeln, das er kennt, nur schon lange, sehr lange, nicht mehr gesehen hat. Das letzte Mal war es vielleicht, als sie hochschwanger während ihres Studiums an Kundgebungen und Demonstrationen gegen die Besatzung teilgenommen und eine Kampfesbereitschaft gezeigt hatte, die ihm bis heute fremd geblieben ist.

Nein, entgegnet sie missbilligend seinen belehrenden Worten, jeden Tag sei sie in der Schule mit Kindern konfrontiert, die schreiben, lesen und rechnen lernen würden, um das Abitur zu machen und später vielleicht zu studieren. Aber sie ertränken in der Perspektivlosigkeit, so wie Mohammed, den sie nach Kairo geschickt hätten, damit er nicht in Versuchung komme, sich dem bewaffneten Widerstand anzuschließen, und Medizin studieren könne. Oder wie Usama, der in wenigen Monaten sein Staatsexamen mache, wobei aber nicht einer von ihnen auch nur die kleinste Chance zu arbeiten haben werde, um das Wissen, welches sie sich nach jahrelangem Studium angeeignet hätten, anzuwenden. Und in ihrer Rolle als Mutter, aber auch als Lehrerin, sehe sie eine besondere Pflicht, ihre Stimme gegen all das Unrecht zu erheben.

Verblüfft von ihrer Entschlossenheit, die bei jedem ihrer Worte durchklang, sagt er ihr, dass er nicht streiten wolle. Er hätte auch nichts entgegnen können, da er weiß, dass sie mit dem, was sie sagt, völlig Recht hat, und er nicht einer jener Männer ist, die eine klare Rollenverteilung verfechten und der Ehefrau nur den heimischen Herd als Bereich ihrer Zuständigkeit zugestehen.

Sie versinken in der Stille, die nur hin und wieder vom Geschrei der Nachtvögel in der Ferne durchbrochen wird, und lassen ihre Gedanken schweifen: zur Vorderachse des Wagens, die Abu Mohammed dringend reparieren lassen muss; zum morgigen Tag, an dem Umm Mohammed mit Beamten der Schulaufsicht zusammentreffen wird, um über den immer wieder ausfallenden Unterricht wegen der Abriegelungen durch die Armee zu sprechen; zu den Kühlschränken und Waschmaschinen, die Abu Mohammed gewinnbringend zu verkaufen beabsichtigt; zu Usama, der nun zu solch später Stunde, in der oft Panzer und Militärpatrouillen in Dschenin ihr Unwesen treiben, noch immer nicht nach Hause gekommen ist; zu der Baustelle in der Nähe von Shaqed, die ihr Leben nachhaltig verändern wird.

Was wohl aus dem Bauern werden würde, der heute Nachmittag zusammenbrach, murmelt Abu Mohammed fragend vor sich hin, ohne eine Antwort zu erwarten. Seine Frau nickt traurig in stiller Zustimmung. Es werde nicht nur bei ihm bleiben, sagt sie mit starrem Blick, die Mauer betreffe sie alle, die Einwohner von Um Al-Rihan, von Dhaher Al-Malih, von Bartaa Al-Sharqiya und den anderen Orten in der Umgebung, Hunderte von Menschen, die zwischen der Grünen Linie und dem Trennwall eingesperrt sein würden.

Das Telefon klingelt. Abu Mohammed steht auf, geht in das Haus und nimmt den Hörer ab. Es ist Usama, der ihm aufgeregt mitteilt, dass er direkt nach den Vorlesungen am Nachmittag zu einem Kommilitonen gefahren sei, um gemeinsam mit ihm zu lernen. Aber über den Büchern habe er vollkommen die Zeit vergessen und komme nun nicht aus Dschenin heraus, da die Stadt wieder einmal abgeriegelt worden sei. Kein einziger Taxifahrer sei zu finden, der das Risiko auf sich nehmen wolle, ihn jetzt noch nach Um Al-Rihan zu bringen. Wo er jetzt sei, fragt sein Vater ruhig, und Usama erwidert, dass er von Umm Asem, seiner Tante, aus anrufe.

Abu Mohammed weiß, dass der Ostteil der Stadt, die Gegend, in der die Familie Umm Asems wohnt, besonders gefährlich ist, seitdem sich die nächtlichen Kampfhandlungen zwischen der Armee und den bewaffneten Palästinensern wegen der Zerstörung des Flüchtlingslagers dorthin verlagert haben. Also bleibe seinem Sohn nichts anderes übrig, als dort zu übernachten. Er ermahnt Usama, die Aufhebung der Abriegelung am nächsten Tag abzuwarten, bevor er sich auf den Weg in die Universität mache, und verabschiedet sich von seinem Sohn. Er legt den Hörer des Telefons auf die Gabel, bevor er sich wieder nach draußen zu seiner Frau begibt. In ihrer mütterlichen Intuition wusste sie bereits beim ersten Klingeln des Telefons die Situation ihres Sohnes zu ergründen, und fragt nun, ob er bei ihrer Schwester sei. Abu Mohammed nickt bejahend. Ob sie nicht mitkommen wolle, da er nun zu Bett gehe. Aber sie bleibt, möchte noch eine Zeit lang hier draußen auf der Treppe verweilen, streicht ihm zart und entschuldigend über das Hosenbein, als er sich umdreht, um müde in das Haus hineinzuschlurfen.

Die Einsamkeit empfindet sie zuweilen als einen besonderen Genuss, der es ihr erlaubt, sich ihrer selbst zu vergewissern, ihrer eigenen Existenz als Mensch, Mutter und Palästinenserin. Denn dann kann sie Gedanken und Gefühle festhalten, die oftmals in der Geschäftigkeit ihres Alltags verloren gehen, so wie die Finsternis einen Lichtschimmer verschluckt; wenn überhaupt, dann kehren die bedeutsamen Gedanken in den ruhigen Momenten zurück.

In der Dunkelheit auf den Treppenstufen vor dem Haus kommt es ihr nun vor, als sitze sie in einer Theateraufführung. Nur gibt es hier weder eine Inszenierung noch Schauspieler, sondern nur unzählige Akteure auf der Bühne der Wirklichkeit. Und sie sitzt in der vordersten Reihe im Parkett und verfolgt aus nächster Nähe die Handlung, die sie wie ein Wasserstrudel in sich hineinzieht. Es ist unmöglich, ihm zu entkommen, weil sie nicht entkommen will, denn die ungeheuerliche Kraft des Sogs ist ihre Identität, eine mörderische. Und damit ist sie Teil einer Geschichte, die weiter geschrieben werden wird, da sie noch kein Ende hat, und die, wenn sie jemals enden sollte, gewiss von neuem beginnen wird. Und diese Geschichte setzt sich zusammen aus ihren Erinnerungen der Vergangenheit, den Bildern der Gegenwart und dem vagen

Schicksal, das nicht in ihren Händen liegt und auf welches sie keinen Einfluss haben darf. Aber sie will Einfluss haben, weil es um ihr Schicksal, das ihrer Kinder und Kindeskinder geht.

Was wird an jenem Tag passieren, wenn sie die Mauer hochgezogen haben? Wenn sie die Menschen, die hier wohnen, vom Rest der Welt abschneiden und diese verdammen, in einem Jenseits und Diesseits zu leben? Wird es ihnen dann überhaupt noch möglich sein, sich von hier nach dort zu bewegen, um ihren täglichen Verpflichtungen nachzugehen? Reicht es nicht schon jetzt, dass sie ohnehin immer wieder mit der Unmöglichkeit konfrontiert sind, einen Checkpoint zu passieren, und Umwege suchen müssen. stets mit der Angst im Nacken, aufgegriffen und bestraft zu werden?

Als ein kalter Luftstrom vorbeizieht, fröstelt sie, zieht die Beine an die Brust und umklammert sie. Aber es ist kalt geworden, und Umm Mohammed steht auf, die Straße misstrauisch beobachtend, da sie ein Geräusch gehört hat; doch es ist nur ein Hund, der sich im Schutze der Nacht über die Abfälle hermacht. Sie geht ins Haus, sperrt die Tür ab, zieht sich im Schlafzimmer um und legt sich zu ihrem Mann ins Bett, der bereits tief schläft und schnarcht.

Doch kurz bevor auch sie die Müdigkeit überfällt, erkennt Umm Mohammed, dass all jenes, was künftig geschehen wird, vielleicht auch einen Neuanfang in sich birgt, und sie lächelt mild in der Dunkelheit. Aber der Neuanfang hängt unweigerlich von den Bedingungen in der Gegenwart ab, denn nur diese vermögen die Zukunft zu verändern. Das Leid, das ihnen zugefügt wurde und wird, kann Ansporn für die ungeheuren Fähigkeiten der Menschen sein, denn es provoziert, zwingt dazu, jene Wunder freizusetzen, die nur in besonderen Situationen geschehen. Und je weiter man auf diesem Weg voranschreitet, umso eher kann sich etwas Neues entwickeln, möglicherweise eine Gemeinschaft, die den unbändigen Drang verspürt zu kämpfen, gegen die Besatzung, gegen die Willkür, gegen die Mauer …

II

Winter der trügerischen Zuversicht

Tagebuchnotiz

Ich stehe auf einem freien Feld, und der Wind aus Osten weht zart durch mein Kleid, verschafft mir eine angenehme Kühle an diesem heißen Sonnentag, an dem der Boden alle angestaute Hitze abgibt, als hätte die Hölle selbst ihre unheilvollen Arme nach mir ausgestreckt.

Der Wind wird stärker, beginnt an mir zu zerren, so dass ich mich von ihm abwenden muss, um meine Augen vor dem feinen Sand, den er aufwirbelt, zu schützen.

»Einen Wind, der so schnell an Kraft gewinnt, habe ich noch nie erlebt«, denke ich, und ein unheilvolles Gefühl beginnt mir zunehmend die Freude an diesem Spiel der Natur zu nehmen. Die Gewalt des Windes wird größer, will mich voranstoßen, treibt mich dazu an, den Fleck, auf dem ich stehe, zu verlassen.

»Dreh dich um, dreh dich um, biete ihm die Stirn«, flüstert eine leise Stimme in mir, und ich versuche mich zu drehen und dem, was kommen mag, furchtlos ins Antlitz zu blicken. Doch mein Körper versagt, ist unfähig, sich zu bewegen, während in mir die Ahnung aufsteigt, dass sich hinter mir Grauenvolles auftut.

»Es ist nicht dein Körper, es ist dein Geist, der Angst hat«, flüstert die Stimme, und ich spüre, dass sie Recht hat. Ich fürchte mich aber dennoch unsagbar davor, diesem Anblick nicht gewachsen zu sein, zu

zerbrechen wie eine Figur aus Porzellan, die ihren Halt verloren hat und stürzt.

Doch ich schaffe es, mich zu drehen, und der viele Sand treibt mir Tränen in die Augen, die mir die Sicht nehmen, bis ich weit in der Ferne eine dunkle Wolke ausmachen kann.

Ich verspüre Erleichterung; so schlimm kann es nicht werden, nur eine Wolke, und Gelächter entfährt mir und schüttelt meine Anspannung ab. Doch da fliegt mir etwas ins Gesicht. Es ist nicht schmerzhaft, nur ein kleines Etwas, schon wieder weitergetrieben, in der Weite des Landes verschwunden. Dann noch eines und kurz darauf ein drittes. »Heuschrecken«, durchfährt es mich blitzartig. Die Wolke ist ein Schwarm von Heuschrecken, die gekommen sind, das Land zu überfallen!

Meine Ohnmacht lässt mich straucheln. Alles ist zu spät! Nichts wird den Untergang mehr aufhalten können!

»Was soll ich nur machen?«, rufe ich, doch die Stimme antwortet nicht mehr.

In diesem Moment drohe ich zu zerbrechen, drehe mich weg, und der Wind nimmt mich in seine starken Arme.

Er trägt mich nach oben, und ich sehe, wie unter mir die ersten schwarzen Wolken den Boden bedecken. Ich sehe, wie sie unsere Felder kahl fressen, wie sie in mein Haus einfallen, in dem mein Mann und meine Kinder schlafen.

Doch fühle ich nichts. Als hätte ich in dem Moment, in dem ich in die Lüfte gehoben wurde, vor dieser Übermacht kapituliert und dabei meine Seele verloren.

Diese Geschichte kam eines Tages über mich, nahm immer klarere Formen an, und wie bei vielen meiner Gedanken verstehe ich nicht, wo sie ihren Anfang fand, wie sie entstehen konnte, so als stammte sie von einem anderen Menschen und hätte sich in mir nur verirrt.
Und trotzdem beschreibt sie genau mein Gefühl der Hilflosigkeit, meine Angst, das Falsche zu tun.
Aber wem genau gehört die Stimme in der Geschichte? Ist es Allah, der Allmächtige, der versucht, mir den richtigen Weg zu zeigen? Aber wieso versagt er mir die Hilfe, wenn ich sie am nötigsten brauche? Oder habe ich ihn nicht mehr hören können, nicht mehr hören wollen? War ich erzürnt darüber, dem unaufhaltsamen Untergang ins Gesicht geblickt zu haben, anstatt selbst ahnungslos mit in den Tod gerissen zu werden?

Vor einigen Jahren, es war noch in der Schulzeit, saß ich in Dschenin auf dem Dach meines Elternhauses. Ich war so in Gedanken versunken, dass keines der

unzähligen Geräusche der belebten Straße zu mir durchdrang.
Es war die Geschichte der Menschheit, die mich seit Tagen nicht loslassen wollte. In ihr gab es nicht viel Gutes zu entdecken. Jedes Volk, egal welchen Glaubens, hatte Schuld auf sich geladen, hatte aus egoistischen Motiven heraus getötet, wo selbst manche wilden Tiere ihr Mitgeschöpf verschonen würden. Das wilde Tier stellte sich in meinen Überlegungen, verglichen mit dem Menschen, als friedvolles Wesen heraus, und diese Erkenntnis erschütterte mich zutiefst.
Damals beschloss ich, Lehrerin zu werden, weil ich glaubte, dass nur das Wissen um die grausame Natur des Menschen ein Bewusstsein für das Gute, für den gegenseitigen Respekt und für den Frieden schaffen könnte.
Inzwischen hat mich die Geschichte meines eigenen Landes eines Besseren belehrt. Ein Volk der Entrechteten, ein Volk der Gedemütigten und der Verfolgten, ein Volk, das man um seiner selbst willen zu vernichten suchte, hat sich aufgemacht, ein anderes zu knechten.

1

Dschenin hat das zerknitterte Gesicht einer alten, von Müdigkeit und Kummer geplagten Mutter, die an den vergeblichen Versuchen, ihren Kindern ein sicheres und warmes Zuhause zu geben, zusehends verzweifelt. Lange hat sie sich dabei in Geduld geübt, und sie kennt die Lichtstreifen der Zeit, aber nun ist ihr Gesicht weiß, ein beunruhigendes Weiß, keine Blässe, sondern die Farbe unaufhörlicher Bestürzung. Und jede Falte darin ist eine tiefe Wunde, ein grober und verletzter Ausdruck, weil sie von der Geschichte und den Menschen schikaniert, gedemütigt und misshandelt wurde.

Dschenin, die nördlichste Stadt im Westjordanland, hat Grausamkeiten gesehen, die sie vor Wahn bersten lassen könnten, und von Monat zu Monat wird ihr Pulsschlag schwächer, stirbt sie ganz langsam dahin bis zu dem Tag, an welchem ihre Atmung aussetzen und sie ihre Augen geschlossen halten wird, weil sie ihr Leben nicht mehr ertragen kann.

Unten in der Innenstadt, zwischen den zerschossenen Fassaden der Häuser, im Gewühl des vormittäglichen Verkehrs, der zäh durch die aufgerissenen Straßen fließt, versucht ein jeder, sich irgendwie seinen Lebensunterhalt zu verdienen. Überall sieht man Männer, die auf alten und schäbigen Karren Obst und Gemüse, Süßigkeiten, Emailletöpfe und -pfannen, Socken und Strümpfe, Tabakwaren, Spielzeug oder nutzlosen Nippes lautstark feilbieten. Gleichzeitig sitzen deprimierte Händler in den vereinzelt geöffneten Geschäften der Ladenzeilen und hoffen auf Kunden, die zwar zuhauf durch die Gassen schlendern, doch in diesen feuchtkühlen Dezembertagen nur selten zum Geldbeutel greifen, weil dessen kläglicher Inhalt gerade mal für das Nötigste reicht. Das geschäftige Treiben ist nicht mehr als ein regelmäßig wiederkehrendes Ritual, alltägliche Normalität zu wahren, diese festzuhalten, sie im Schein zu konservieren, um dem Vergessen Einhalt zu gebieten.

Laut und hart ertönt der Widerhall von Gewehrschüssen im Stadtkern, wieder und wieder, dass selbst Umm Mohammed, die einige hundert Meter Luftlinie entfernt aus einem Klassenzimmer im vierten Stock schaut, erschrocken zusammenzuckt, während ihre Schülerinnen im Volkskundeunterricht mit einer Schularbeit beschäftigt sind. Im nächsten Augenblick dreht sie sich nach den zehnjährigen Mädchen um und blickt in die jungen aufhorchenden Gesichter. Es seien nur Salven, sagt sie, bestimmt bei einem Gedenkzug abgefeuert, also kein Grund zur Beunruhigung, und fordert alle auf, weiterzumachen.

Die Klasse wendet sich wieder ihrer Aufgabe zu, einem Aufsatz, und trotz der Tatsache, dass der Lärm von Schüssen und Detonationen ein fester Bestandteil des Alltags geworden ist – wie die Gebetsrufe des Muezzins –, kann Umm Mohammed ihre abermals verharmlosenden Äußerungen über die Schüsse nicht fassen. Sie lässt sich am Lehrerpult nieder, und nachdenklich schweift ihr Blick über die vor ihr sitzenden Kinder, die gerade ihre Heimat porträtieren, jenes Land, von welchem die meisten nichts anderes kennen als die durchlöcherten Gemäuer dieser Stadt.

Zu Stundenbeginn, als Umm Mohammed leere Blätter ausgeteilt und ihre Schülerinnen mit der Aufgabenstellung vertraut gemacht hatte, fingen sie an zu schreiben, eifrig und strebsam. Doch Chada, ein Mädchen in der zweiten Reihe, starrte auf das leere Papier, und ihre Augen füllten sich mit Tränen, weil sie nicht wusste, was sie hätte schreiben sollen. Und obgleich sie versuchte, ihre Hilflosigkeit zu verbergen, indem sie ihre weinenden Augen hinter dem Arm versteckte, konnte jede im Raum ihr leises Schluchzen vernehmen, und einige drehten sich mitleidig zu ihr um. Doch nur so lange, bis ihre Lehrerin ihnen einen strengen Blick zuwarf und sich ihrer verzweifelten Schülerin annahm.

Chada war erst vor wenigen Wochen nach langer Abwesenheit wieder in die Schule zurückgekehrt. Ihr Vater war von bewaffneten palästinensischen Kämpfern vor dem Haus erschossen worden – irgendjemand hatte behauptet, dass er ein israelischer Spitzel, ein Kollaborateur gewesen sei. Sie wurde in der Nacht durch das Geschrei der aufgebrachten Männer geweckt und hatte verschlafen aus dem Fenster ihres Zimmers beobachtet, wie ihre Mutter die Gruppe anflehte, ihren Mann zu verschonen, wieder und immer wieder, kreischend, schreiend, bis Schüsse fielen und Chada sich mit den Händen die Augen zuhielt: Sie wollte nicht sehen, was sich bereits als Gewissheit in ihr Gehirn eingebrannt hatte und ihr die Stimme raubte, die sie erst Monate später wiedererlangte.

Behutsam wischte Umm Mohammed mit einem Taschentuch Chada die Tränen aus dem Gesicht und bat sie, aus dem Fenster des Klassenzimmers zu blicken und die Dinge, die sie sehe, zu beschreiben. Viel war es nicht, aber genug, um eine Seite zu füllen und ihre Gedanken nicht in die Erinnerung abgleiten zu lassen, sondern sie lediglich damit zu beschäftigen, ein Stillleben zu malen, mit Wörtern, auch wenn dies nicht dem Thema ihrer Arbeit entsprach.

Plötzlich erschallt das Klingeln zum Unterrichtsschluss, welches sich in Umm Mohammeds Ohren wie das Geschrei eines fordernden Babys anhört. Die Klasse bleibt noch anstandslos sitzen, bis die Lehrerin alle Arbeiten eingesammelt hat und mit einem »Bis morgen!« die Erlaubnis erteilt, das Zimmer zu verlassen. Während die Schülerinnen freudig hinausstürmen, sortiert sie ihre Unterlagen und packt sie in ihre graue Kunstledertasche. Dann schaut sie durch die Reihen, ob nicht eines der Mädchen etwas vergessen hat, schließt die Fenster und macht sich auf den Weg, ihren Mann von seiner Schule abzuholen.

Sie tritt auf die Hauptstraße und schlängelt sich durch den stockenden Verkehr der Innenstadt hindurch, vorbei an dem Duft von frisch gemahlenem Kaffee und frittierten Falafeln. Da bemerkt sie, dass sie sich wie eine Person fühlt, die sich vollkommen von ihrer Umgebung abgespalten hat, diese nur flüchtig und ganz am Rande wahrnimmt, weil sie in ihren Gedanken versunken ist und sich unentwegt die Fragen stellt, was sie tun solle und was sie tun werde. Sie kann diese Endlosschleife der Gedanken nicht lenken, denn sie resultiert aus den unaufhörlichen Versuchen der vergangenen Monate, sich gegen den Mauerbau zu engagieren, auch wenn ihr klar war, dass sie ihn nicht aufhalten konnte.

Dennoch musste sie etwas unternehmen. Sie hat unzählige E-Mails und Briefe an Menschenrechtsorganisationen geschrieben, sie um Rat und Hilfe gebeten und auch Hunderte von Telefonaten geführt mit verschiedenen Abteilungen der Autonomiebehörde, mit Anwälten, israelischen wie auch palästinensischen, aber immer ohne jeden Erfolg. »Liebe Frau, uns sind die Hände gebunden«, war eine der Antworten, die sie am häufigsten zu hören bekam. Und jeden Tag, wenn sie nachmittags nach Um Al-Rihan zurückfuhr, war die Mauer im Vergleich zum Vortag in der Länge, Höhe und Breite gewachsen, hatte sich unaufhaltsam Kilometer um Kilometer in das Land hineingefressen.

»Umm Mohammed, Umm Mohammed«, ruft eine vertraute Stimme nach ihr. Noch immer ist sie in der Welt ihrer Sorgen gefangen, sucht einen Ausweg, bis der Ruf ihres Namens in unmittelbarer Nähe in ihr Ohr dringt. Sie blickt in das Gesicht ihres Schwagers Abu Asem, der sie freudig begrüßt, nach dem Wohlbefinden der Familie fragt und feststellt, dass sie krank aussehe. Nein, es ginge ihr gut, erwidert sie, warum alle in letzter Zeit glaubten, sie sei krank? Vielleicht weil sie müde und abgespannt erscheine, schließt Abu Asem, der ohnehin nicht länger über ihr Wohlbefinden diskutieren will. Denn nun wird ihr Gespräch von einer Reihe Salven unterbrochen, die bei einem Trauerzug zu Ehren eines Shahids, eines Märtyrers, abgefeuert werden.

»Es gibt keinen Gott außer Allah, und wir beschwören, dass Mohammed sein Prophet ist. Mit unserer Seele und mit unserem Blut verteidigen wir dich, o Palästina!«, dröhnt es laut aus einem Megaphon, das auf dem Dach eines Pick-ups befestigt ist; auf dessen Ladefläche stehen einige Männer, die mit ihren Gewehren immer wieder in die Luft schießen, um auf diese Weise an jenen zu erinnern, der sein Leben ließ. Hinter dem Fahrzeug marschiert eine Gruppe von Jugendlichen und Männern, die alle durch ihre schwarze Vermummung und die Waffen, die sie stolz vor sich hertragen, martialisch und furchteinflößend wirken und ihrer Entschlossenheit zum Kampf Nachdruck verleihen, indem sie bei jedem *»Mit unserer Seele und mit unserem Blut verteidigen wir dich, o Palästina!«* mit einstimmen. Dieser beängstigend wirkenden

Gruppe, die in Wahrheit nichts anderes macht, als die ohnehin begrenzten Möglichkeiten des Widerstands kläglich zur Schau zu stellen, folgen einige Passanten, die sich dem Zug angeschlossen haben.

Während Umm Mohammed und Abu Asem, der noch immer an ihrer Seite steht, dem Spektakel hinterherschauen, fragt sie, ob letzte Nacht wieder einer der jungen Männer umgekommen sei. Abu Asem nickt betreten, Allah sei seiner Seele gnädig, und berichtet ihr.

Er war einundzwanzig Jahre jung, hatte das dasselbe Alter wie ihr Sohn Mohammed, hieß Adel Al-Badaouijeh und war bewaffnet, aber nicht wie andere, nicht so offensichtlich, sondern sehr zurückhaltend. Ihm lag nichts ferner als der Respekt aufgrund der Angst vor seinem Gewehr. Viele der Jüngeren bewunderten seinen Verstand, die Art, wie er auftrat, sein Geschick, zwischen zerstrittenen Menschen zu schlichten. Er war ein Mensch mit Idealen, und er gehörte keiner Gruppierung an, weder dem Dschihad noch den Al-Aqsa-Brigaden oder der Hamas. Deshalb wurde ihm Bewunderung zuteil, ein Umstand, der sich schnell herumsprach und ihn auf die Abschussliste der Israelis brachte.

In der gestrigen Nacht hielt er sich in einem Wohnhaus im Ostteil der Stadt auf, gleich in der Nähe der ehemaligen Siedlung Qadim, die heute ein kleiner Stützpunkt der israelischen Armee ist. Unvermittelt tauchten einige Panzer und Militärjeeps auf, und eine Hundertschaft von Soldaten umstellte den gesamten Block, der mehrere Häuser umfasste. Sie forderten Adel auf, sich zu ergeben, aber nichts geschah, denn seine Leute hinderten ihn daran, aus dem Haus und in den sicheren Tod zu gehen. Man versteckte ihn im Keller, doch die Armee schickte sich an, die Gebäude mittels Bulldozer einzureißen, erst eines, dann alle übrigen, bis Adel aus den Trümmern stieg. Es wird gesagt, dass man ihn noch in derselben Sekunde erschoss, als er sich unbewaffnet und mit erhobenen Händen ergab – unzählige Schüsse durchsiebten seinen jungen Körper. Niemand weiß, woher die Armee von seinem Aufenthaltsort wusste. Doch es gibt Gerüchte, dass es möglicherweise Leute aus den eigenen Reihen waren, die ihn verraten hatten.

Abu Asem endet mit einem hilflosen Seufzer und verabschiedet sich von seiner Schwägerin. Er müsse wieder in seinen Laden zurück und bestellt Grüße an ihren Mann. Während Abu Asem in der Geschäftigkeit des Souks – des Marktes – verschwindet, kommt ein Wagen direkt vor Umm Mohammed zum Stehen. Als sie hineinblickt, erkennt sie ihren Mann, der ihr bedeutet, schnell einzusteigen, da sich hinter ihm eine Schlange gebildet hat, die sich nun in einem lautstarken Hupkonzert bemerkbar macht.

Es ist wie immer eine holprige Fahrt von Dschenin nach Hause, bis sie an einem Checkpoint ankommen, an dem in beiden Richtungen mehrere Autos und Lastwagen warten.

Dazwischen laufen bis an die Zähne bewaffnete Soldaten umher und befehlen den Leuten auszusteigen, um ihre Identitätskarten vorzuzeigen, während jeweils zwei der Uniformierten die Autos von innen und außen inspizieren, dann den Kofferraum, den Motor und die Räder untersuchen. Sie überprüfen auch den Führerschein und die Papiere der Taxi- und Lastwagenfahrer – Name des Vaters, des Großvaters, der Familie, Religionszugehörigkeit. Das Warten wird lange dauern, und deshalb steigen die Menschen aus den Wagen und stellen sich an den Straßenrand, um sich zu unterhalten und Neuigkeiten auszutauschen. So auch Umm Mohammed und ihr Mann.

Sie gesellt sich zu einer Gruppe von Frauen, die sie nur flüchtig kennt und die aus Um Al-Rihan und der Umgebung stammen. Dies ist besser, als wer weiß wie lange noch in dem Wagen zu sitzen und den nervösen israelischen Wehrpflichtigen zuzuschauen. Da hocken sie nun und plaudern, erzählen sich Geschichten und versorgen sich gegenseitig mit dem neuesten Klatsch, ein Zeitvertreib, der Umm Mohammed nicht liegt, schon allein deshalb, weil sie nur wenig mit diesen Frauen zu tun hat, deren Leben darin besteht, die Kinder zu hüten und den Haushalt zu besorgen. Und im selben Moment, in dem sie sich grüßend dazusetzt und die müden Beine ausstreckt, nähert sich ein Soldat und schreit, sie sollen schleunigst weg da. Aber die Frauen drehen sich nur verständnislos um und unterhalten sich weiter, sehr zum Missfallen des Soldaten, der sie nochmals lauthals anfährt, dass sie da verschwinden sollen.

Diesmal wenden sich ihm alle zu, und bis auf Umm Mohammed rufen sie johlend, wie aus einem einzigen Frauenmund, dass es schon gut sei und was mit ihm los sei, die Welt würde schon nicht untergehen, wenn sie hier säßen. Vollkommen unbeeindruckt von der rabiaten Aufforderung des Soldaten unterhalten sie sich dann weiter, und Umm Mohammeds Voreingenommenheit ihnen gegenüber weicht widerstandslos, löst sich auf. Doch der junge, durch seine Bleiweste bullig wirkende Israeli stürzt sich wutschnaubend auf eine der Frauen und packt sie am Kragen, worauf diese einen markerschütternden Schrei von sich gibt, der alle Anwesenden erschrocken auffahren lässt, während Umm Mohammed und die übrigen Frauen der Angegriffenen zu Hilfe eilen und in dem tumultartigen Durcheinander Verwünschungen gegen den Soldaten ausstoßen. Allah möge ihn in tausend Teile zerbrechen, seine Mutter möge ihn verlieren, der böse Blick solle ihn treffen und beim angebeteten Gott und ihrem Herrn David möge er und seinesgleichen schwarz wie Ruß werden.

Einige Taxifahrer, Abu Mohammed sowie zwei weitere Soldaten hasten herbei, gehen dazwischen, und die Israelis lösen den Griff ihres Kollegen, halten die Palästinenser durch ihre vorgehaltenen Gewehre auf Distanz und drohen ihnen verängstigt, von den Waffen Gebrauch zu machen, sollte nicht augenblicklich Ruhe einkehren. Und wieder ist es Umm Mohammeds Mann, der durch seine besänftigende Geste mit hochgehaltenen Händen alle zur Besonnenheit auffordert, Israelis wie Palästinenser, auf Hebräisch wie auf Arabisch. Brüllend erteilen die Soldaten den Leuten die Order, sich in die Autos zu setzen, keiner habe nunmehr etwas auf der Straße zu suchen, und sie dürften erst dann aussteigen oder weiterfahren, wenn man es ihnen sage.

Als Umm Mohammed in den Toyota steigt, ist ihr Blut noch immer in Wallung, ihr Verstand benebelt vor Wut, die sich in den Handgreiflichkeiten mit dem Soldaten entlud. »Wie konnte er es nur wagen, die Frau anzufassen?«, denkt sie sich. »Hat er denn kein Fein- und Schamgefühl, die ihn daran hinderten, sich in dieser Weise an einer moslemischen Frau zu vergreifen? Die ihn überhaupt daran hinderten, hier zu stehen und den Reisenden das Leben schwer zu machen, indem er sie nach Belieben durchließ oder nicht, manchem sogar aus einer Laune heraus die Identitätskarte abnahm, um den Betroffenen dem Risiko auszusetzen, sich bei der nächsten Straßensperre nicht ausweisen zu können, erst recht nicht auf dem Weg zur Wache, wo er seinen Ausweis am nächsten oder übernächsten Tag ausgehändigt bekommen würde?« Es sind junge Israelis, die, kaum der Pubertät entronnen, den Mantel ihrer religiös-moralischen Grundsätze abstreifen, um sich in militärische Kluft zu kleiden und zu töten.

Kurze Zeit später geben die Soldaten den Weg frei, und Abu Mohammed und seine Frau setzen ihren Weg nach Hause fort. Dabei passieren sie die Baustelle, welche in den letzten Monaten immer wieder Grund äußerster Befürchtungen und dunkler Vorahnungen war. Nun ist er aber fertig gestellt, der so genannte Antiterror- oder auch Sicherheitszaun, und er ragt drei Meter in die Höhe, ist mit den dazugehörigen Gräben und Sandstreifen, auf dem Fußabdrücke leicht zu erkennen sein sollen, sechzig Meter breit und ausgestattet mit Bewegungsmeldern und Überwachungskameras. Vielerorts ist er sogar elektrisch geladen, und rote Schilder mit der weißen Aufschrift »Danger« – Lebensgefahr – warnen die Menschen davor, diesem Trennwall zu nahe zu kommen.

Das Auto fährt langsam durch das noch offen stehende Tor, während Umm Mohammed und ihr Mann geradeaus auf die Fahrbahn starren. Denn sie würden sich das Monstrum am liebsten wegdenken, dieses Ungetüm, das ihnen künftig nicht nur den Weg blockieren, sondern sie regelrecht wegsperren wird, hinter einen Wall, vor dessen Toren sich das Leben abspielt. Und warum das alles? Weil man sich in Israel dadurch mehr Sicherheit verspricht. Am meisten belastet es sie, nichts tun zu können, um ihr Schicksal abzuwenden, die Ohnmacht, mit der sie das Gedeihen dieses Bauwerks jeden Tag verfolgen mussten, weil es vor ihren Augen geschieht, weil der Boden, auf dem es nun steht, jenen Menschen entrissen wurde, in deren Nachbarschaft Abu Mohammed und seine Frau leben. Wieder schießen Umm Mohammed die Fragen in den Kopf, die sie vor wenigen Stunden schon von ihrer Umgebung entrückt haben: Was soll sie, was wird sie nun tun?

Niedergeschlagen steigen sie aus dem Wagen, betreten das Haus und grüßen ihre Töchter, Isra'a und Falastin, die bereits seit dem Mittag daheim sind und gekocht haben, Makloubeh – Huhn mit Blumenkohl und Reis. Es ist Donnerstag, erinnert sich Umm Mohammed, der Tag, an dem die Kinder ohnehin früher zu Hause sind, weil morgen Freitag und Feiertag ist. Abu Mohammed hebt den Topfdeckel, stochert mit einer Gabel darin herum, fischt ein Stück Hühnerfleisch heraus, das er genüsslich vertilgt, während Isra'a den Tisch deckt und ihre Schwester Falastin eine runde Anrichteplatte auf den offenen Topf legt. Diesen kippt sie sodann mit einer routiniert ruckartigen Drehbewegung auf den Kopf und hebt ihn in der Weise hoch, dass sein gesamter Inhalt in zylindrischer Form auf der Platte zurückbleibt. Abu Mohammed, der daneben steht, folgt Falastin und den Duftschwaden des Mahls in das Esszimmer und nimmt erwartungsvoll am Tisch Platz.

Einen Moment später kommt auch Usama hereingestürzt, entledigt sich schnell seiner Jacke und Tasche und setzt sich ebenfalls an den Tisch.

Während des Essens erwähnt Usama, einen Bissen nach dem anderen verschlingend, dass er auf dem Heimweg Kamal getroffen habe, und als ihn seine Mutter fragend anschaut, sagt er, sie wisse schon, Kamal, der Freund seines Cousins Fathi, der in der Sulta, der Autonomiebehörde, arbeite.

Ja, jetzt erinnere sie sich, und Usama fährt fort, Kamal

habe ihm erzählt, dass ab Samstag das Tor von Soldaten besetzt sein werde und jeder, der hindurchwolle, einen Tasrih, einen Passierschein, benötige.

Ja, ja, erwidert Isra'a, das sei wirklich nichts Neues. Aber Abu Mohammed unterbindet die weitere Diskussion über den Tasrih und den Zaun und erklärt seinem Sohn, dass er mit ihm nun ein ernstes Wort reden müsse, denn man habe ihn heute mit einigen jener Jugendlichen gesehen, die Waffen trügen, und das wollten weder seine Mutter noch er.

Entgeistert schaut Umm Mohammed zunächst zu ihrem Mann, um durch sein kurzes Nicken die Bestätigung zu erhalten, dass dies nicht nur das übliche Geschwätz der Leute ist, und wendet sich dann mit einem mahnenden Blick Usama zu.

Das seien aber seine Freunde, und er selbst trüge keine Waffen, habe es auch nie vorgehabt, und sie könnten von ihm nicht verlangen, seine Freunde nicht mehr zu sehen, protestiert Usama, während Isra'a teilnahmslos damit beschäftigt ist, den Blumenkohl aus dem Reis zu picken. Falastin sitzt neben ihrer Mutter und ihrem Vater auf der anderen Tischseite, so als ob sie mit beiden eine Front bilden würde, denn sie verfolgt mit demselben vorwurfsvollen Gesichtsausdruck die Argumente ihres Bruders.

Doch, das könnten sie, entgegnet nun Umm Mohammed, denn er wisse nicht, wer von diesen Männern bei den Israelis auf der Abschussliste stehe, wer Matloub – ein Gesuchter – sei oder nicht. Und woher er die Gewissheit nehme, dass nicht irgendjemand ihn mit solch einer Person beobachtet habe und er sich unversehens mit der gleichen Lage konfrontiert sehe. Das sei kein Spaß, denn mit erschreckender Regelmäßigkeit schlüge die Armee gezielt zu – und es ende immer tödlich für die Betroffenen. Die Vorstellung, dass sich Usama mit bewaffneten Kämpfern herumtreibt, ruft in Umm Mohammed Entsetzen hervor. Seine Uneinsichtigkeit bringt sie in Rage, denn er beharrt auf seiner Freundschaft mit diesen Leuten und will sie nicht lösen. Doch das ist es nicht, was seine Eltern von ihm verlangen, sondern lediglich, sich nicht mit ihnen in aller Öffentlichkeit zu zeigen.

Abu Mohammed versucht Verständnis für ihre elterlichen Sorgen zu wecken, indem er ihm sagt, dass sie nur sein Bestes wollten. Er solle sich erinnern, warum sie Mohammed nach Kairo zum Studieren geschickt hätten. Und sie würden auch ihn dorthin schicken, wenn sie es sich leisten könnten, nur damit er nicht der Versuchung erliege, sich der einen oder anderen Organisation anzuschließen und im Verborgenen Waffen zu tragen.

Usama aber bleibt unzugänglich für ihre Argumente und wendet sich stur und beleidigt ab, bis er sein Essen beendet hat und aus dem Zimmer geht, während seine Eltern ihm ratlos hinterherblicken.

Den Nachmittag und den Abend verbringt Umm Mohammed damit, die Aufsätze ihrer Schülerinnen zu korrigieren. Chadas Arbeit hat sie als erste in Angriff genommen; während sie sie durchsah, musste sie an den Tag denken, als

Chada zum ersten Mal wieder in die Schule kam: Eingeschüchtert stand sie in der Tür, als wolle sie am liebsten gleich wieder die Flucht ergreifen. Rechts oben in die Ecke des Blattes hat Umm Mohammed dann die Note 95 – eine Eins – eingetragen.

Der vorletzte Aufsatz ist die Arbeit von Samira, ebenfalls eines jener unzähligen Mädchen, die eine traurige Geschichte mit sich herumtragen. Es ist die Geschichte zweier Familien, der Samiras und der des Freundes ihres Vaters, der nicht mehr länger Freund ist, sondern aufgrund einer Familienfehde zum Feind wurde. Mit dem Einzug der Waffengewalt in das alltägliche Leben bekriegten sie sich gegenseitig, anstatt die israelischen Besatzer zu bekämpfen. Die Kinder sind immer die Ersten, welche unter solchen Umständen zu leiden haben. So auch Samira, denn oftmals kam es vor dem Haus zu Schusswechseln, die sie aus dem Schlaf rissen, in ihren Ohren dröhnten. Und wenn sie dann Schutz suchend zu ihrer Mutter eilte, stand diese machtlos der Zerstörungswut der Männer gegenüber. Doch Samira hatte Glück, denn nach wenigen Wochen hatten die gewaltsamen Auseinandersetzungen ein Ende, da ein ferner, aber angesehener Verwandter zwischen den Parteien zu schlichten wusste.

Ihr Aufsatz liest sich wie die Beschreibung eines untergehenden Landes, in dem die Erde verbrannt und der Himmel mit Rußwolken bedeckt ist, die nicht einen einzigen Sonnenstrahl durchlassen, der den Menschen Licht und Wärme spenden könnte. In vielen Häusern finden sich riesige Löcher, wie blutig klaffende Wunden, und in diesen nunmehr wackligen Gemäuern leben jetzt Leute, die ihr Hab und Gut zurücklassen mussten, hinter einer grauen Betonmauer. In ihrer angestammten Heimat wohnen heute andere Menschen in neuen Häusern, welche wie leuchten-de Gestirne am Nachthimmel verstreut sind.

Plötzlich hört Umm Mohammed in weiter Ferne eine rchsage, die lauter wird, näher kommt und nach weni- Minuten auch die Straße erreicht, in der sich ihr Haus ndet: Nun erfährt sie in aller Deutlichkeit von dem ärischen Erlass, den Usama bereits am Nachmittag ähnt hatte. Eine arabische Stimme, wohl die eines aelischen Drusen, verkündet, dass ab Samstag alle Ein-ohner beim Passieren des Tores zum Westjordanland einen Tasrih benötigen und diese Papiere am morgigen Tag an alle Haushalte im Ort verteilt würden. So schnell wie der Jeep in Um Al-Rihan aufgetaucht ist, um über einen Lautsprecher die Ankündigung zu verbreiten, so schnell ist er auch wieder weg – wie ein Orkan, der über die Erde fegt und nichts als Chaos und Ungewissheit hinterlässt, ein Durcheinander der Gefühle und Gedanken.

Aufgebracht über diese Weisung endet für Umm Mohammed der Tag, und sie fasst den festen Entschluss, sich dem nicht zu beugen, weil sie weder von den Israelis noch von sonst jemandem eine Erlaubnis benötigt, um ihr Dorf, ihr Haus und ihre eigenen vier Wände zu betreten.

Nein, sie wird ihnen die Stirn bieten …

2

Die Nacht war anders als die vorherigen, anders, als sie es sich vorgestellt hatte: Unentwegt hatten sich dicke Regenwolken entleert, Winde fegten pfeifend über die Erde, der Strom war ausgefallen. Sie spürte den Winter, der sich mit diesem Unwetter ankündigte, seine bittere Kälte, die das Schlafzimmer mit einer Heftigkeit überfiel, welche sie zwang, aufzustehen und einen Heizstrahler aus der Gerätekammer zu holen. Der Körper ihres Mannes hatte sich reflexartig zusammengerollt, wie bei einem Igel, der aufgrund einer nahenden Gefahr zu einem stachligen Knäuel wird und nichts und niemanden an sich heranlässt. Als sie allerdings den Strahler entzündete, entspannte sich Abu Mohammed im Schlaf wieder und nahm seine gewohnte Position ein, auf dem Rücken mit weit von sich gestreckten Gliedmaßen. Umm Mohammed, die sich auf die Seite gelegt hatte und kurze Zeit später eingeschlafen war, träumte einen seltsamen Traum, der sie jetzt, da sie an diesem regnerischen Morgen in der Küche steht, das Frühstück bereitet und über ihn nachdenkt, verwirrt: Sie vermag ihn nicht zu deuten.

In ein kleines Dorf, von welchem sie nicht weiß, wo es liegt, kam ein alter, bärtiger Mann, der barfuß und mithilfe eines Gehstocks eilig nach Westen wanderte und auf dem Leib nichts weiter trug als einen weißen Umhang aus grober Wolle. Die Dorfbewohner machten lange Hälse und riefen ihm entgegen, wohin ihn sein Weg führe. Zum Hause Gottes, antwortete er mit dünner und rastloser Stimme, ohne stehen zu bleiben oder die Leute auch nur eines Blickes zu würdigen. Die Dörfler sahen verwirrt erst einander, dann den alten Mann an, um ihm anschließend zuzurufen, dass er sich wohl in der Richtung getäuscht habe, da Mekka genau in entgegengesetzter Richtung liege, wobei ihre Finger nach Osten zeigten. Doch als der Mann ihnen entgegnete, dass er schon wisse, welches die richtige Route sei, und unbeirrt seinen Weg fortsetzte, stellten sich die Leute ihm entgegen, so als ob sie ihn aufhalten wollten.

Sie glaubten, seine Sinne seien getrübt und er habe den Verstand verloren, aber als sie sich ihm näherten, konnten sie kein Anzeichen von Wahnsinn oder Bosheit erkennen, vielmehr leuchtete in seinen Augen ein Licht der Güte und Klugheit, als trüge er ein wundersames Geheimnis in sich.

Wenn er ihnen schon keinen Glauben schenken wolle, so sollte er nach dem Stand der Sonne schauen, woraufhin er in den Himmel blickte und sah, wie die Sonne im Westen hinter dem Horizont verschwand. Dann suchte er wieder die Blicke der Menge und teilte ihr mit, dass die Sonne in das Haus Gottes ginge, genau wie er auch.

Rat suchend sahen sie sich um und erblickten den

Imam, der schnellen Schrittes auf den Mann zulief und ihn einen Ketzer schimpfte, der auf der Stelle gezüchtigt werden müsse.

Doch der Fremde lachte laut und spöttisch, wie er so etwas behaupten könne, wo er doch ganz genau wisse, dass Allah ihnen nicht mehr beistünde, sie verlassen habe, weil sie nicht im Mindesten seinen Lehren entsprächen, nur hätten sie es noch nicht erkannt.

Kaum hatte er dies ausgesprochen, hoben die Leute des Dorfes Steine vom Boden auf und bewarfen den Mann unter anklagendem Gegröle: Er sei gottlos, ein verdammter Ketzer, und die Wucht, mit welcher der Alte getroffen wurde, ließ Umm Mohammed erschrocken aus dem Traum auffahren.

Bis auf Isra'a stehen am Mittag alle in der Tür, während der Ruf des Muezzins zum Mittagsgebet den gesamten Ort einhüllt wie ein magischer Schleier, der ihm wieder Leben einhaucht, denn nun sind die Straßen voll von Einwohnern, die in die Moschee strömen, um freitags ihrer religiösen Pflicht nachzukommen. Aber Isra'a findet ihre Schuhe nicht, denn nur ein bestimmtes Paar kann sie in harmonischer Kombination zu ihrer übrigen Kleidung anziehen, so ist sie nun mal. Und sie lässt es sich auch nicht nehmen, selbst als Abu Mohammed ungehalten sagt, dass sie nicht auf eine Hochzeit gehe und sich beeilen solle, denn der Imam warte nicht. Usama und sein Vater sind schon aus dem Haus, haben sich nicht in Geduld üben wollen, und als Isra'a schließlich aus ihrem Zimmer geeilt kommt, zu ihrer wartenden Mutter und Schwester stößt, begeben sich die Frauen zügig zur Dorfmoschee, die nur wenige Schritte entfernt liegt.

Der Himmel gönnt sich eine Regenpause, aber auf den ungeteerten Wegen gibt es nun Pfützen und Schlammlöcher, sehr zum Missfallen Isra'as, deren blank polierte ockerfarbene Schuhe inzwischen von einer Schmutzschicht überzogen sind.

Vor der Moschee sitzen Männer an Wasserhähnen, die sich Füße, Arme, Hände, das Gesicht und den Kopf waschen, während sie bei jedem Körperteil dreimal in schneller Abfolge vor sich hin murmeln, dass es keinen Gott gebe außer Allah und dass Mohammed Allahs Gesandter sei. Innen, in dem weiträumigen Gebetssaal, nehmen in den vorderen Reihen die Männer Platz, dahinter die Frauen. Dort reihen sich auch Umm Mohammed, Falastin und Isra'a ein, die gleich allen Anwesenden zuerst das Vorgebet verrichten, um anschließend erwartungsvoll auf die Predigt des Imams zu warten.

Dann stellt sich ein bärtiger Mann in einem langen Gewand vor die Gläubigen. Der Imam nimmt ein Mikrophon in die Hand, rezitiert die Fatiha, eine Sure aus dem Koran, und beginnt zu seinen Zuhörern zu sprechen. Im Koran stehe geschrieben, dass der Herr die Menschen zu Völkern und Stämmen gemacht habe, auf dass sie einander erkennen mögen, und dass die Kinder Israels seiner Gnade gedenken sollten, die Er ihnen erwiesen habe, und wenn sie ihr Versprechen Ihm gegenüber erfüllten, dann halte auch Er sein Versprechen ihnen gegenüber. Und Er halte sie an, an das zu glauben, was Er ihnen als Bestätigung herabgesandt habe, was bei ihnen sei. Sie sollten Seine Zeichen nicht gegen einen geringen Preis eintauschen, denn Ihm allein gegenüber sollten sie ehrfürchtig sein. Und Er sage ihnen, dass sie weder die Wahrheit mit Unrecht durcheinander bringen sollten noch die Wahrheit verschweigen dürften, wo sie sie doch kennen.

Ergriffen fährt der Imam fort, verdeutlicht den Gläubigen, was die Kinder Israels um sie herum anrichteten. Jeden Tag würden sie den Tod säen und den Hass nähren, und das, obwohl der Herr ihnen aufgetragen habe, das Leben zu wahren.

Heute würden sie einen Zaun errichten, der die Palästinenser zu Gefangenen in ihrem eigenen Land mache, ihnen die Luft zum Atmen nehme, ihre Herzen verschließe, und dennoch sollten sie, die Gläubigen, nicht vergessen, dass der Herr hierüber wache und ihnen eines Tages Gerechtigkeit widerfahren werde. Sie sollten weder die Hoffnung noch ihren Willen und den Kampf gegen die Besatzung aufgeben, im Namen Allahs.

Sie schwöre beim Allmächtigen, sie werde vor den Augen der Soldaten den Tasrih, den Passierschein, in tausend Fetzen zerreißen und ihnen diese ins Gesicht werfen, ruft eine Frau aufgebracht, als Umm Mohammed gerade aus der

Moschee kommt und mit ihren Töchtern die Treppenstufen hinuntergeht. Nein, das ließen sie nicht mit sich machen, ertönt es aus dem Munde eines Mannes, der in einer Gruppe am Straßenrand steht und ein bestätigendes Johlen erntet. Die Atmosphäre auf dem Platz vor der Moschee ist angespannt, die Menschen stehen in wirrem Durcheinander herum, reden, diskutieren, manche betont zurückhaltend, andere laut und wütend, und die Stimmung der Auflehnung gegen die Passierscheinregelung, die ab morgen in Kraft treten soll, heizt sich weiter auf.

Umm Mohammed gesellt sich zu einer Frauengruppe, der ihre schimpfenden Nachbarinnen Umm Ziad und Umm Bassam angehören. Ob auch sie die Durchsage letzte Nacht gehört habe, möchte Umm Bassam von Umm Mohammed wissen. Nickend antwortet diese, dass es nicht zu überhören gewesen sei, und auch sie habe nicht die Absicht, sich diesem Erlass zu fügen. Aber was sollten sie dagegen machen, fragt eine andere vorsichtig in die Runde, es sei doch verrückt, sich dem zu widersetzen, da die Israelis doch am längeren Hebel säßen und sie imstande seien, die Leute weder raus- noch reinzulassen.

Die Angst vor Repressalien steht der jungen Frau in das Gesicht geschrieben. Wie ein kleines Mädchen sieht sie aus, das sich vor der Prügelstrafe in der Schule fürchtet. Umm Mohammed übergeht diesen Einwand, ignoriert ihn, weil der Unterton der Hilflosigkeit sie ärgert. Sie müssten sich geschlossen der Verfügung widersetzen, zusammen würden sie stark sein, zusammen würden sie sich ihnen entgegenstellen können, denn was sollte die Armee schon ausrichten, wenn niemand sich an die Regelung halten würde? Etwa ein ganzes Dorf einsperren?

Ein Mann, der zugehört hatte, was Umm Mohammed sagte, dreht sich um und bestätigt sie in ihrer Ansicht. Das sei so wie in der ersten Intifada, als sie sich zusammengeschlossen hatten, um die Phasen des Generalstreiks und des Boykotts von israelischen Waren zu überstehen. Die Erinnerung daran ruft eine Fülle euphorischer Gefühle wach. Was für Zeiten das doch gewesen seien, damals hätten die Leute noch Standvermögen gehabt, seien auf die Straßen gegangen, hätten der israelischen Armee getrotzt, und wenn es nur mit bloßen Händen gewesen sei.

Umm Mohammed hingegen gibt sich nicht dieser Begeisterung hin, sagt, dass das gestern gewesen sei, die Gegenwart sehe nun aber anders aus, und wenn sie etwas unternehmen wollten, so müssten sie jetzt handeln und sich nicht in nostalgischen Anwandlungen verlieren. Die Strenge in ihren Worten holt alle in die Wirklichkeit zurück, während ihr Gesicht Verärgerung verrät, da sie die Reaktionen nicht fassen kann und sie als unangebracht empfindet. Wie sinnlos solcher Jubel über längst vergangene Tage doch ist, wenn das Heute dem Gestern, die Erbärmlichkeit der Tatkraft gegenübersteht.

Entschlossen ruft sie die Leute, die sich nun um sie versammelt haben, darunter auch ihr skeptisch blickender Mann, dazu auf, dem von den Israelis ausgestellten Tasrih keine Bedeutung beizumessen, ihn zu verbannen, ihn wegzuschließen, weil sie keine Erlaubnis von Fremden benötigen würden, um sich in ihrem eigenen Land bewegen zu dürfen. Ja, genau so müssten sie es machen, tönt es auf dem Platz, und Umm Mohammed sieht in die hoffnungsvoll leuchtenden Augen der Leute, von denen sich aber einige unbemerkt zurückgezogen haben, denn das, was beschlossene Sache unter den Dorfbewohnern zu sein scheint, ist diesen wenigen zu heikel. Sie möchten lieber nichts damit zu tun haben, da sie es als das letzte Aufbäumen gegen einen übermächtigen Gegner empfinden, der ihnen das Genick brechen könnte.

Als sie wieder zu Hause sind, Usama sich vor den Fernseher setzt, Falastin in der Küche zugange ist und Isra'a die Zimmertür hinter sich verschließt, um sich in die Welt der Musik und des Gesangs zu flüchten und zu träumen, schaut Abu Mohammed missmutig seine Frau an. Dieses Mal stellt er sie zur Rede, ohne zuerst in seine sonst übliche Wortlosigkeit zu versinken. Was dies nun schon wieder solle – eine Frage, die keine erklärende Antwort erwartet, sondern lediglich Ausdruck seines Unmuts ist.

Umm Mohammed wusste schon auf dem Heimweg, dass erneut eines der ermüdenden Gespräche über ihr dreistes Auftreten vor den Leuten, wie er es nennt, zu erwarten war. Zuweilen gefiele es ihm weit besser, wenn sie sich in stiller Zurückhaltung übte. Sie gibt ihrem Mann zu verstehen, dass sie nichts Unrechtes getan habe, vielmehr begreife sie nicht, was mit ihm los sei, denn sie sei angesprochen worden und sie habe lediglich reagiert und ihre Meinung kundgetan.

Ihre Meinung kundgetan, wiederholt er spöttisch lächelnd, bevor er sie damit konfrontiert, dass das seinem

Empfinden nach eher als Anstacheln oder sogar Aufwiegeln zu bezeichnen sei, und zwar dazu, den Tasrih und damit die – wenn auch verhassten – Vorschriften zu missachten. Aber das könne und dürfe sie nicht, da sie hierfür nicht die Verantwortung übernehmen könne.

Fragend blickt ihn seine Frau an, so als ob er eine andere Sprache gesprochen habe. Was für eine Verantwortung? Jede einzelne Person wisse, was richtig oder falsch sei, und falsch sei definitiv dieser Zaun und alles, was damit zusammenhängt, oder nicht?

»Ja, ja, natürlich«, sagt er einlenkend, während er sich seine Jacke überzieht, weil er noch wegmuss, aber dennoch solle sie nicht glauben, dass dieser Tasrih so einfach unter den Tisch zu kehren sei, denn wie sie bereits treffend bemerkt habe, sei dies nicht die erste Intifada, die Zeiten hätten sich geändert. Dann verabschiedet er sich eilig. Als ob er die Flucht ergreife, denkt seine Frau, er aber behauptet, er habe noch Geschäftliches in Dschenin zu erledigen.

Kurz nachdem Abu Mohammed das Haus verlassen hat, klopft es an der Tür, laut und hart, begleitet von der Aufforderung einer tiefen Männerstimme zu öffnen. Falastin macht auf und blickt in das Gesicht eines israelischen Soldaten, der nach den Identitätskarten verlangt. Umm Mohammed eilt zu Usama und Isra'a, nimmt deren Ausweise und geht an die Tür, um diese dem Mann zu geben. Es fehle allerdings der Ausweis ihres Ehegatten, bemerkt der Beamte, aber in Anbetracht der Tatsache, dass sie seine Frau sei, könne er ihr auch seinen Tasrih anvertrauen. Und so übergibt er ihr fünf blau-grüne Dokumente, die sie als

Einwohner von Um Al-Rihan ausweisen und berechtigen, das Tor in der Nähe von Shaqed zu passieren.

Doch bevor er die Ausweise zurückgibt, möchte Umm Mohammed wissen, was mit dem Tasrih ihres Sohnes Mohammed sei, der zurzeit in Kairo studiere. Davon wisse er nichts, er habe nur die Order, diese Passierscheine ihren Besitzern zu übergeben, sollte aber einer fehlen wie anscheinend der ihres Sohnes, dann müsse sie diesen in Salem beantragen. Aber warum beantragen, erwidert Umm Mohammed, ihr Sohn sei aus dem Ort, habe einen palästinensischen Ausweis und müsse deshalb ebenfalls einen Tasrih erhalten. Der Soldat wendet sich ab und geht zu dem hinter ihm stehenden Jeep, in dem weitere Soldaten sitzen, während sie hinter ihm herruft, dass sie eine Antwort wolle. Dabei ertappt sie sich, wie sie entgegen ihrer Äußerungen den Tasrih doch nicht so ohne weiteres ignorieren kann. Sie hält inne, schließt eilig die Haustür, wie um schnell vergessen zu machen, was sie gerade gesagt hat, und blickt in das verwirrte Gesicht ihrer Tochter Falastin, die neben ihr steht.

❁

Nachdem jeder bis auf ihren Mann seinen Tasrih an sich genommen hat, um ihn in den Ausweis zu legen, da dieser ohne ihn keine Gültigkeit besitzt, zieht sich Umm Mohammed in ihr Arbeitszimmer zurück, legt das blau-grüne Dokument vor sich auf den Tisch und starrt es reglos an. Was soll sie nun damit machen? Die Zeit steht still, und die

Ruhe in dem Raum scheint sie zu erdrücken, da sie keine Antwort auf ihre Frage hat. Sie nimmt den Kopf in beide Hände, so als ob sie ihn dadurch entlasten wolle, blickt dabei aber noch immer den Tasrih an: Was tun? Was nun?

Als sie die Augen schließt, empfindet sie noch immer gähnende Leere in ihrem Kopf. Was hatte ihr Mann gesagt? Es seien tatsächlich andere Zeiten als in der ersten Intifada, deshalb könne sie nun diesen Tasrih nicht so einfach ignorieren. Und ob sie das kann! Sie wird es ihrem Mann beweisen, denn das, was hier vor ihr liegt, ist nichts weiter als ein unbedeutender Zettel, ein Fetzen Papier mit hebräischen und arabischen Lettern, die ihr frech entgegenspringen, so als ob sie ihr sagen wollen: »Mach es doch, mach es doch, traust dich nicht, traust dich nicht!«

Und ob sie sich traut, schon allein, weil sie muss, hat sie doch vor allen gesagt, dass sie ihn wegschließen wird, um ihn nie wieder hervorzuholen.

3

Eine mit Schlaglöchern durchsetzte Asphaltstraße führt durch eine steinige Landschaft mit einigen Olivenbäumen. Sonst gibt es keine Spur von Leben. Einst grün bewachsen, ist die Erde mit dem Blut der Bauern vermischt, weil früher Flugzeuge über die Felder geflogen sind und Giftstoffe abgeworfen haben, welche Saat und Ernte vernichteten. Und später verteilten sich Maschinen wie Heuschrecken über das ganze Gebiet, gruben ihre Zähne tief in den Boden und wühlten die Erde um. Auf Befehl des israelischen Militärgouverneurs wurde dann das Land enteignet, um damit den Lebensnerv der hier lebenden Menschen zu durchschneiden.

Und nun ist der Tag einer neuen Zeitrechnung angebrochen. Es gibt nun zwei Welten, die eine diesseits, die andere jenseits der Mauer. Niemand spricht hier von einem Zaun, weil ein Zaun verrückt und überwunden werden kann, eine Mauer aber nicht. Deshalb ist dieser Zaun im Empfinden der Menschen eine Mauer.

Innerlich ist Umm Mohammed angespannt, und sie weiß, dass die Konsequenz, die sie gezogen hat, die richtige Entscheidung gewesen ist. Denn damit folgt sie einem

Weg, von welchem sie glaubt, dass es der ihre ist: der Weg eines Menschen, der um sein Recht betrogen wurde und dieses einfordern will, indem er sich dem Unrecht gegenüber auflehnt. Und dennoch kann sie die Unruhe, die ihren Körper beim Gedanken an den nur wenige Kilometer entfernten Checkpoint durchzieht, nicht leugnen. Sie kann sie nur verbergen, auch ihrem Mann gegenüber.

Das Tor ist geöffnet, dennoch stehen bestimmt zwanzig bis dreißig Autos an dem Übergang und warten, um durchgelassen zu werden. Betonblöcke sind versetzt auf der Fahrbahn platziert, so dass niemand durchbrechen kann, sondern langsam um die Hindernisse herumfahren muss. Doch zuvor hat man das Zeichen der schwer bewaffneten Soldaten abzuwarten, welche hinter den Zementquadern in einem Wachhaus, umgeben von aufgestapelten Sandsäcken, sitzen oder sogar liegen und sich die Zeit vertreiben, indem sie miteinander reden, Tee trinken und rauchen. Manchmal überkommt einen der Uniformierten die Lust, einen Wagen heranzuwinken, um Ausweise und Passierscheine der Insassen zu inspizieren und sie weiterfahren zu lassen.

Das fange ja gut an, stöhnt Abu Mohammed. Den Checkpoint zu umfahren ist diesmal aussichtslos, denn die Mauer zieht sich nach Norden wie nach Süden ins scheinbar Endlose. Abu Mohammed kurbelt das Fahrerfenster herunter und zündet sich eine Zigarette an, während seine Frau an diesem Morgen seltsam ruhig ist. Nicht eine Silbe ist ihr bisher über die Lippen gekommen, ein Umstand, der Abu Mohammed jedoch nicht allzu nachdenklich stimmt.

»Einen wunderschönen guten Morgen«, rauscht es aus dem Radio. Eine Frauenstimme kündigt einen durchwachsenen Wintertag an. Unmittelbar danach ertönt arabische Popmusik, woraufhin Umm Mohammed die Lautstärke drosselt, weil sie die Fröhlichkeit, welche das Gedudel verbreitet, nicht teilen kann, nicht teilen will.

Ein Wagen mit gelbem Nummernschild, der eines Siedlers, rast an ihnen und den wartenden Autos mit hoher Geschwindigkeit vorbei, bremst abrupt vor den Betonblöcken ab und umfährt diese gekonnt und zügig.

Am Wachhaus stoppt der Fahrer nicht, streckt lediglich seinen Arm aus dem Fenster, winkt den Soldaten zu, um nach den Hindernissen auf der Straße wieder zu beschleunigen und davonzurauschen. Lachend schauen die Posten dem Fahrzeug hinterher. Dieser Anblick erzürnt Umm Mohammed. Was gibt es da zu lachen? Ist es die Freude darüber, dass ihr Landsmann all diese Araber hinter sich stehen lässt, sie ignoriert, so als ob sie Luft, nein, vielmehr nichts sind? Dass ihnen damit erbarmungslos ihre Bedeutungslosigkeit und Ohnmacht vor Augen geführt werden?

Wieder winkt ein Soldat einen Wagen heran, bückt sich zum Fahrer herunter und nimmt die Ausweise und Passierscheine mit einem Finger am Abzug des Gewehrs entgegen. Dann steckt er seinen Kopf in den Wagen, schaut die Passagiere mit prüfendem Blick an, um ihnen anschließend die Dokumente zurückzugeben und mittels einer Handbewegung zu verdeutlichen, dass sie verschwinden dürfen.

Abu Mohammeds morgendliche Vermutung, dass es

dauern könne, bis sie am Tor durchkämen, hat sich als richtig herausgestellt. Deshalb waren sie schon früher aufgebrochen, um noch rechtzeitig zum Unterrichtsbeginn in den Schulen einzutreffen. Nach einer Stunde Wartezeit winkt nun der Soldat auch den Toyota heran, während Umm Mohammed Fragen über Fragen durch den Kopf gehen und sie verstören: Hatten doch noch am Vortag die Dörfler ihr beigepflichtet, den Passierschein zu ignorieren, sich dem Erlass der Armee nicht zu fügen. Ist es ihnen etwa gelungen, dennoch zu passieren, oder fehlte ihnen der Mut, den Passierschein zu Hause zu lassen? Haben sie beim Anblick der bewaffneten Männer in Uniform kalte Füße bekommen, und waren ihre gestrigen Äußerungen der Auflehnung nur hohle Phrasen ohne jedwede Bedeutung gewesen?

Im selben Moment, in dem sich das Gesicht des Soldaten in den Wagen schraubt, scheint es, als ob sich ihr noch vor wenigen Sekunden rasender Herzschlag nun verlangsamen würde, so als ob das Herz drohe stehen zu bleiben. In Umm Mohammeds Wahrnehmung zieht sich alles in die Länge, die Stimme des Soldaten, der sie auffordert, sich auszuweisen, die Handbewegung ihres Mannes, der in die Brusttasche seines Hemdes greift, um den Ausweis und Tasrih hervorzuholen. Dann drängt sein ungeduldiger Blick sie, es ihm gleichzutun. Sie sucht ihre Identitätskarte in der Handtasche und reicht das Dokument zum Fenster hinaus, in die blassen Hände des Israeli.

Die plötzliche Frage des Soldaten nach ihrem Tasrih befreit sie aus dem Zustand der lähmenden Angst, die sie trotz ihres Willens und ihrer Entschlossenheit überfallen hat. Es ist die Angst vor der Reaktion dieses Mannes, dem sie erwidert, dass sie keinen besitze, auch keinen benötige, weil das ihr Land sei. Da fährt Abu Mohammed dazwischen, unterbricht sie, indem er sagt, dass sich der Passierschein ganz sicher in ihrem Ausweis befinde und der Soldat ihn bestimmt nur übersehen habe. Nein, da sei nichts, gibt dieser genervt zurück, wechselt nun ins Hebräische und befiehlt ihnen, an die Seite zu fahren, auszusteigen, zu warten. Abu Mohammed lenkt den Wagen an den Straßenrand, fragt seine Frau, wo der Tasrih sei. Sie antwortet ihm aber nicht, weil sie es ihm nicht sagen will, noch nicht.

Der Soldat kommt mit seinem Vorgesetzten zurück, welcher in harschem Ton fragt, was sich hier abspiele. Aus Umm Mohammed schießt es voller Verachtung heraus: Es gebe keine Probleme, wären die Juden nicht hier. Ihr Mann schiebt sie zornig hinter sich, behandelt sie wie ein kleines Mädchen und spricht mit dem Offizier auf Hebräisch, in einer Sprache, von welcher er weiß, dass seine Frau sie nicht versteht. Er sagt, dass Umm Mohammed den Tasrih zu Hause vergessen habe und sie aber jetzt zum Unterricht müssten, weil die Schüler bereits warteten.

Doch die Versuche ihres Mannes, ein Einsehen bei den Soldaten zu erreichen, bleiben erfolglos, denn diese sehen eine aufgebrachte Frau an seiner Seite, die allem Anschein nach überhaupt nicht vorhat, der Passierscheinregelung Folge zu leisten, und deren Absicht, sich dieser nicht beugen zu wollen, in einem ergebnislosen Schwall von Beschimpfungen und Verwünschungen endet, die die Gesichter der Uniformierten verhärten lassen. Er solle zum Teufel gehen, geben sie ihm auf den Weg und schicken die beiden wieder zurück, denn ohne Tasrih kämen sie hier nicht vorbei, was auch immer sie unternähmen. Punkt. Ausrufezeichen.

Abu Mohammed und seine Frau fahren zurück nach Um Al-Rihan, schweigend, obgleich Umm Mohammed vor Wut kocht, weil ihr Mann sich ihr gegenüber zu viel herausgenommen hat. Sie glaubt, dass er sie mit seinem Verhalten hintergangen, sie verraten hat. Als sie vor dem Haus ankommen, reißt sie die Wagentür auf und will aussteigen, doch ihr Mann hält sie zurück, indem er fest nach ihrem Arm greift, sie eindringlich anschaut und sie mit maßlosem Zorn in den Augen fragt, was sie mit dem Tasrih gemacht habe.

»Zerrissen, zerrissen, zerrissen«, wiederholt sie, ohne den Anflug von Reue, befreit sich aus seinem schmerzenden Griff und knallt die Wagentür zu. Fassungslos sitzt Abu Mohammed im Auto, glaubt seinen Ohren nicht zu trauen, erinnert sich aber, dass er in die Schule muss, dreht um und fährt los, während seine Frau im Haus verschwindet.

4

Dunkle, bedrohlich wirkende Wolken verdecken den Himmel über dem Norden des Westjordanlandes, ergießen sich auf die Erde, während Abu Mohammed zu Hause in Um Al-Rihan aus dem Wohnzimmerfenster starrt, den Blick auf die frei fallenden Wassertropfen gerichtet. Seine Reglosigkeit und sein Schweigen verleihen dem hellen und weitläufigen Raum, der zu beiden Seiten von großen gelbbraunen und mit kleinen Stickdecken ausgelegten Sofas gesäumt ist, eine beklemmende Stimmung. In seiner Ruhe liegt Ärger, in seinen von tiefen Falten umrahmten Augen liegen Sorgen, die er anscheinend dadurch, dass er sich immer wieder mit der rechten Hand über den Schnauzbart streicht, wegzuwischen versucht. Denn dann entspannen sich sein Gesicht und sein Körper und geben kurz eine ungeahnte Sanftmut preis, die sich jedoch in Anbetracht der immer wiederkehrenden Gedanken schnell wieder verflüchtigt. Alles scheint an diesem Dezembernachmittag im Hause Abu Mohammeds stillzustehen. Lediglich das Geräusch des laut prasselnden Regens ist ein Zeichen der Bewegung, dass eine Minute um die andere vergeht.

In der Küche schüttet Umm Mohammed gerade heißes Wasser in eine Teekanne und stellt diese auf ein Tablett. Lautlos, fast so, als ob sie ihren Mann in seinen Gedanken nicht stören wolle, begibt sie sich damit in das Wohnzimmer, stellt das Tablett auf dem großen, runden Tisch ab, zieht einen der Stühle hervor und setzt sich.

Abu Mohammed steht noch immer am gleichen Fleck, unverändert in seiner Körperhaltung. Er scheint seine Frau nicht bemerken zu wollen, die hinter ihm zwei mit der Öffnung nach unten stehende Gläser umdreht und Tee eingießt. Der süßliche Duft von Pfefferminze durchströmt den Raum und erreicht Abu Mohammed, dessen Gewohnheit es ist, um diese Tageszeit nach dem Schulunterricht Tee zu sich zu nehmen. Zwei Löffel Zucker für ihn, einen für sie, und plötzlich durchschneidet das Geräusch ihres absichtlich heftigen Zuckerumrührens die beklemmende Stille des Raumes, während sie zu ihrem Mann blickt in der Hoffnung, er würde zumindest für einen Moment seinen Unmut vergessen, sich umdrehen, wenn auch nicht unbedingt mit ihr sprechen, so doch zum Tisch kommen und sich zu ihr setzen. Nichts dergleichen geschieht jedoch, nicht die leiseste Regung, eine Starrheit, die ihr das Gefühl gibt, selbst nicht da zu sein. Sie stellt sein Glas an den gegenüberliegenden Platz und blickt auf ein gerahmtes und leicht vergilbtes Foto über einem der Sofas: Es zeigt ein junges Paar am Tag ihrer Hochzeit.

Es soll sie, ebenso wie jeden, der das Wohnzimmer betritt, an das hübsche Mädchen erinnern, dessen Gesicht – anders als das ihres Mannes – nichts davon verriet, in welche Richtung es sich einmal entwickeln würde. Arm in Arm steht das Paar an einem Geländer außerhalb eines Gebäudes gelehnt, schaut sich an, neigt sich aus rührender Sorge, an den Bildrändern abgeschnitten zu werden, einander zu und erfreut sich der Erleichterung, endlich die Strapazen der Hochzeitsfeierlichkeiten hinter sich zu haben, um wenige Tage später in die erholsamen Flitterwochen aufzubrechen. Und das strahlende Lächeln, das sie der Kamera schenken, entspringt tief empfundener Freude und vermittelt den Eindruck, dass es sich hierbei nicht um eines jener gestellten Hochzeitsfotos handelt, wie sie sonst üblich sind, sondern um den Schnappschuss einer Vermählung in den Siebzigerjahren, die sich unschwer an der damaligen Mode ablesen lassen.

Er ist mit seiner Größe von einem Meter neunzig, den großen Händen und Füßen, der gutmütigen Kinnpartie, den dunkel unterlaufenen Augen und dem vollen Haar, das damals noch bis zu den Schultern hinunterhing, kaum zu verwechseln. Die einunddreißig Jahre nach der Hochzeit haben bei ihm lediglich vorhersehbaren Schaden angerichtet, und auch der war nur geringfügig – gröbere und faltigere Haut, ein etwas breiteres Gesicht und dichtere Augenbrauen.

Ihre Gestalt hingegen kam ebenso vom vorhergesehenen Kurs ab wie ihr Leben, und es ist nur schwer möglich, in diesem Bild ihr jetziges Gesicht wiederzuerkennen, das sich besonders dann in Willkommensfalten legt, wenn man ihr Haus betritt. Als Achtzehnjährige hatte sie ein reizendes rundes Gesicht und ein fröhliches Wesen, das heute nur selten noch durchschimmert. Ihre langen dunklen Haare hatte sie straff nach hinten zusammengebunden, was ihr eine außerordentliche Strenge verlieh und nicht im Geringsten zu ihr passte. Auf der glatten Stirn direkt zwischen den Augenbrauen hat ihr einst vergnügtes Lächeln eine Falte geschlagen, die ihr beherrschendes Merkmal geblieben ist, eine senkrechte Furche, die von ihrem Nasensattel aufsteigt und ihre Stirn zerteilt. Die Kontur des Kinns deutet eine gewisse Härte an, die Stolz, Entschlossenheit und einen eisernen Willen verrät – Eigenschaften, die ihren beruflichen Werdegang in jeder Phase vorangetrieben und ihre politischen wie auch moralischen Überzeugungen regelrecht zementiert haben, die aber auch für die momentane prekäre Situation verantwortlich sind.

Ein tiefer Seufzer durchbricht das eintönig monotone Prasseln des Regens und befreit Abu Mohammed im nächsten Augenblick aus seiner selbst gewählten Salzsäulenstarre, indem er sich erneut über den Schnurrbart streicht und seinem Spiegelbild im Wohnzimmerfenster einen kurzen Blick zuwirft, in dem Härte und Sanftmut, Verständnis und Unmut miteinander konkurrieren. Dann dreht er sich entschlossen um und findet den Weg an den Tisch zu seiner Frau, setzt sich ihr gegenüber und nimmt einen Schluck von dem bereits erkalteten Tee.

Sie schiebt ihm den Aschenbecher hin, doch er will jetzt nicht rauchen. Stattdessen schüttet er trotzig wie ein kleines Kind den Tee zurück in die Kanne und gießt sich einen neuen ein, nur um ihr mit dieser kleinen Geste zu bedeuten, dass das Feuer in ihm noch lange nicht erloschen sei.

Nun sitzt er in spannungsgeladener Erwartung einer Initiative Umm Mohammeds da, wie ein Schachspieler, der den Eröffnungszug nicht einmal erahnen kann, weil er, anstatt sich ruhig auf sein Gegenüber einzulassen, zu sehr in seinen Gedanken und Gefühlen verstrickt ist, um mit Bedacht reagieren zu können.

Ob sie verrückt geworden sei, bricht es dann plötzlich aus Abu Mohammed heraus, was sie sich dabei gedacht habe. Sie fixiert ihn vorwurfsvoll mit ihren tiefdunklen Augen und erwidert verächtlich, dass es genau das sei, was auch andere hätten tun sollen, wenn sie die Konsequenzen aus dem gezogen hätten, was sie beide die letzten Tage mit ihren Nachbarn und Freunden besprochen hatten. Sie schließt ihn in den Vorwurf mit ein, indem sie bissig fragt, ob er sich noch daran erinnern könne.

Jetzt braucht er doch eine Zigarette, zieht aus seiner Brusttasche ein Etui heraus, zündet sich eine vorgedrehte Zigarette an und nimmt einen tiefen Zug. Natürlich erinnere er sich, sagt er mit einem rauchenden Seufzer, und sie kenne seine Meinung, denn oft genug hätten sie darüber diskutiert, aber dennoch könne er den Sinn ihres Handelns nicht erkennen, da eine solche Aktion die Israelis mitnichten beeindrucke, sie ihnen damit vielmehr in die Hände spiele. Manchmal verliere sie in ihrem Stolz und Trotz den Sinn für die Realität.

Alles sträubt sich in ihr gegen seine antriebslose Haltung. Sie erwidert, dass sie weder nach ihren Regeln spielen noch ihnen das Feld überlassen wolle. Er solle sich doch einmal umschauen, überall Frauen und Männer, die sich ständig beklagten, über die Mauer, über die Ausgangssperren, über ihr Leben, ohne aber auch nur den Funken einer Initiative zu ergreifen, um ihr Schicksal in die eigenen Hände zu nehmen. Als sie diesen Satz ausspricht, kann sie im Gesicht ihres Mannes wieder deutlich jenen Ärger erkennen, der anfangs der Grund für sein Schweigen war. Hingegen mündet der Unmut diesmal in einer Antwort.

Nein, es ist nicht nur ihr Schicksal, und würde sie nur einige Schritte weiterdenken, wüsste sie, dass es eben nicht nur das eigene Schicksal sei, sondern auch das der Kinder, das der Familie und der Menschen, die das Wohl ihrer Kinder voranstellten und dafür das eine oder andere Opfer in Kauf nähmen, so wie diesen Tasrih, über den keiner hier im Ort wie auch anderswo erfreut sei.

Die Sache mit dem Tasrih hätte sie ihm nicht verheimlichen sollen, denn dann hätte er womöglich anders reagiert, wäre gar ihr Komplize geworden. Doch so wurde er heute Morgen unverhofft mit vollendeten Tatsachen konfrontiert, und das am Checkpoint und am Tor zum Westjordanland, wo israelische Soldaten seiner Frau den Weg versperrten und sie zurück nach Hause schickten. Und die Schmach, vor allen wartenden Leuten von den fast noch pubertierenden Uniformierten wie ein kleiner Junge behandelt zu werden, mit vorgehaltenem Gewehr wüste Beschimpfungen über sich ergehen lassen zu müssen. Und alle Beschwichtigungen waren vergeblich, sie davon zu überzeugen, Umm Mohammed doch noch durchzulassen, ein Auge zuzudrücken, damit sie zur Arbeit und zu ihren Schülerinnen gelangen konnte.

Sie weiß, dass seine Haltung die vernünftigere ist, und ihr wie ein Schutzschild gegen seine Argumente aufgerichteter Körper entspannt sich langsam, gleitet nach hinten an den Stuhlrücken und erschlafft. Er streicht sich wieder über seinen Bart und legt dadurch seinen fein geschwungenen Mund, der sonst so gerne lächelt, frei, aber sein Gesicht zeigt heute nur einen Ausdruck trauriger Ratlosigkeit.

Das nicht enden wollende Prasseln des Regens schneidet sie von anderen Geräuschen ab, gibt ihnen das Gefühl der Abgeschiedenheit. Sie sind in ihrer Ausweglosigkeit allein, haben keinen Halt, sich aneinander zu klammern, sondern sie sind auf die Erkenntnis zurückgeworfen, als einzige Familie in diesem Dorf, womöglich im ganzen Westjordanland, dieses Problem lösen zu müssen und letztendlich auf die Barmherzigkeit derer angewiesen zu sein, die sie am meisten auf der Welt verachten. Denn die Soldaten bedrohen sie nicht nur in ihrer Existenz, sondern nehmen ihnen tagtäglich ein Stück ihrer Würde.

Abu Mohammed ist kein Mann der vielen Worte, und oft trifft Umm Mohammed sein Schweigen viel tiefer, weil sie gelernt hat, in ihm zu lesen. Kaum zu ertragen sind die Minuten, in denen er seine Gedanken ordnet, seine Emotionen zähmt, um endlich auf seine ureigene Art zu handeln. Dadurch behält er das größere Ziel im Auge und geht den einzig richtigen Weg, auch wenn er dabei seinen Stolz aufs Spiel setzen würde und ihr damit nur einmal mehr ihre vermeintliche Schwäche vor Augen führt, ihren unzähmbaren Willen.

Niemals dürfe sie zugeben, den Tasrih zerrissen zu

haben. Nicht nur die Soldaten brächten ihnen dann bitteren Hohn entgegen, auch im Dorf stieße sie damit auf Unverständnis. Seine Augen sind ernst, tragen eine seltene Strenge in sich, und sie kennt seine unausgesprochenen Gedanken: dass er sein Ansehen durch ihre Auflehnung gefährdet glaubt, dass er Angst hat, als Schwächling gebrandmarkt zu werden, weil sich herumspreche, dass sie ihm auf der Nase herumtanze und seine Meinung missachte. Man kann sich dieser Strukturen erwehren, doch ändern wird man sie dadurch nicht.

Sie sollte sich entschuldigen. Sie spürt, wie sehr es ihn danach verlangt, um dann seinerseits verzeihen zu können. Sie stehen sich gegenüber, zwei gleich starke Gegner, über Familienbande aneinander gekettet, das Gewehr zum Schuss geladen, auf ein Ziel gerichtet, das man doch niemals zu treffen in der Lage wäre; aber keiner will die Waffe senken, sondern den Sieg nach Hause tragen, das doch ein gemeinsames ist und niemals die Trophäe nur des einen sein kann.

Sie verspricht, mit niemandem über den Tasrih zu reden, und glaubt, damit ihrerseits eingelenkt zu haben. Doch er erwartet mehr, möchte dieses eine Mal nicht der Nachgiebige sein, möchte für die Demütigung am Checkpoint entschädigt werden; er möchte großherzig sein, doch er sieht, wie seine ausbleibende Reaktion Gegenteiliges bei seiner Frau bewirkt, hört ihren Atem, der schneller geht, wie um für eine erneut aufflammende Diskussion gewappnet zu sein.

Abu Mohammed ist müde. Er kämpft an zu vielen Fronten, um noch eine weitere aufmachen zu können und das zu verlieren, ohne welches ein Überleben unmöglich wäre: seine Familie.

Was sie jetzt machen sollten, möchte er wissen. Der Tee ist wieder kalt geworden, und geschwunden ist die allnachmittägliche Freude, die Abu Mohammed ansonsten aus der süßen Pfefferminze erwächst.

Tagebuchnotiz

Man sagt, eine Mutter, die ihr Kind verloren habe, sei nicht zu trösten. Und was ist mit einer Mutter, von der man glaubt, dass sie ihre Kinder zugunsten einer höheren Sache zurückgestellt hat? Hat sie damit den Anspruch auf Gefühle verloren? Trauert nur ein Mann, der loszieht, um für seine Überzeugungen zu kämpfen, jeden Augenblick in der schleichenden Ungewissheit, jemals wieder zurückzufinden?
Wie kann er nur glauben, ich hätte meine Kinder vergessen, für die ich gelebt und gekämpft habe. Damit hat er mir den Boden unter den Füßen weggezogen und mich in eine Haltlosigkeit gestoßen, in der ich keine Stütze zu finden vermag.
Als er sich heute Nachmittag zu mir umdrehte, konnte ich in seinem Gesicht die vielen kleinen Geschichten lesen, Episoden aus der Vergangenheit, in denen er an mir zweifeln, sogar verzweifeln musste, sich vielleicht wünschte, eine einfachere Frau geheiratet zu haben. Er hütet diese Gedanken tief in seinem Inneren; es sind stumme Masken meiner möglichen Schuld, eine Galerie vorwurfsvoller Augen, die mich »Wer bist du?« zu fragen scheinen, um mir im gleichen Zug die Antwort zu nehmen, weil mich »Eine Mutter bist du jedenfalls nicht!« verstummen ließe.
Doch das hat er nicht gesagt. Und wieder entlässt mich sein Schweigen in einen Zustand der Ratlosigkeit, des Zweifelns. Zeichen, die ich meine deuten zu

können, bleiben letztendlich nur der Spiegel meines Gewissens. So treibe ich um mich selbst, zu müde, mich bewusst zu drehen, zu zwiespältig, um mir endlich selbst die Frage beantworten zu können, ob meine Handlung gerechtfertigt war oder nicht.

Ist der Mensch nicht mit der Fähigkeit zu sprechen geboren worden, um sich auch wehren zu können? Weiß nicht das Kind schon, dass es »nein« sagen darf, auch angesichts des Risikos, am Ende ganz leer ausgehen zu können? Aber immerhin ist es seine eigene Entscheidung gewesen, und daran ist es gewachsen, hat seine Persönlichkeit entwickelt, erkannt, wie es behandelt werden und leben möchte. Was bleibt, wenn man das aufgibt? Bleibt man ein Mensch? Oder ist man dann nur mehr ein kleines Rädchen in der Maschinerie fremder Bestimmung?

Im geschützten Raum meiner Aufzeichnungen kann ich schreiben, wofür sie mich vielleicht sogar hassen würden: Ich verachte sie! Ich verachte ihre Lethargie, ihre Feigheit, ihre Dummheit! Ich kann ihr »Mit Allahs Segen wird alles gut!« nicht mehr hören, das von den langen Seufzern der Schwachen begleitet wird, die befürchten, dieser leise Ausdruck ihres Unmuts könne schon als Auflehnung aufgefasst und von irgendwoher oder irgendjemandem gegen sie verwendet werden, so dass ihr Schicksal nur noch schlimmer und ihr Seufzen nur noch länger werden könnte.

Schließe ich die Augen, so sehe ich sie wie eine Herde blöd glotzender Kühe auf einen Lastwagen der Israe-

lis, der Futtermittel verspricht, zutraben, nur um dann, wenn sich die Ware als verdorben entpuppt und die Soldaten ihnen schadenfroh ins Gesicht lachen, einen ihrer besonders tiefen Seufzer auszustoßen und ihre Demütigung einzupacken, um später zu glauben, diese durch langes Kochen und aufwändiges Würzen übertünchen zu können. Doch mit jedem Bissen werdet ihr schwächer werden, werdet ihr lernen, nur noch mehr zu erdulden, bis sie euch eines Tages nicht nur euer Land, sondern auch eure Seelen genommen haben!

Ich denke an die Zeit, bevor die Autonomiebehörde eingesetzt wurde. Wir mussten unsagbar hohe Steuern zahlen, und kaum einer hat sich gewehrt, aus Angst, sie könnten dann nur noch höher werden. Die Folge war, dass die Israelis immer dreister wurden. Hatte jemand keine Einkommensteuererklärung abgegeben, so wurde eine Summe festgesetzt, die er angeblich dem israelischen Staat schulden würde. Ich erinnere mich an Farid, wie hoch dessen Lebenssteuer berechnet wurde, obwohl er bedingt durch seine Krankheit nie hatte arbeiten können und ohne seine Familie verhungert wäre. Ich glaube, es waren fast 50 000 Schekel! Und als er protestiert hatte, da boten sie ihm an, nur 3000 Schekel zu zahlen, wo er es doch hätte sein müssen, der finanzielle Unterstützung bekommen sollte. Wofür hat seine Familie dann letztendlich gezahlt? Dafür, dass er die Luft seines eigenen Landes atmet?

Ist es rechtens, das Haus eines anderen zu besetzen, sich darin einzunisten, um nach Verstreichen einiger Jahre sogar Miete von dem eigentlichen Besitzer zu verlangen? Nein, ist es nicht! Und das wisst ihr auch, und trotzdem zahlt ihr! Und jeden Tag duldet ihr neue Schmach aus Angst davor, dass sie euch in letzter Konsequenz ganz hinausschmeißen könnten.

Nein, ich bereue nichts! Ich bin stolz darauf, nicht alles mit mir machen zu lassen. Mir ist es lieber zu hungern, als von den Abfällen meiner Unterdrücker zu leben!

Mit unserer Vermählung sei das »Ich« hinter dem »Wir« zurückgetreten, würde mein Mann sagen. Ich weiß um meine Verantwortung und lebe gerne im Sinne meiner Familie, für meine Kinder. Nur frage ich: Was ist das Beste für sie? Sollen wir ihnen nicht ein Vorbild an Tapferkeit und Stärke, an Stolz, an unbezwingbarem Willen sein? Wäre es nicht ihre größte Schmach, eines Morgens aufzuwachen und zu erkennen, dass die eigenen Eltern nicht viel mehr sind als die Pflastersteine ihres eigenen Untergangs?

Was würde mein ältester Sohn Mohammed sagen, wenn wir ihm vor seinem nächsten Besuch einen Zettel zuschicken müssten, ohne den er das Haus und den Boden seiner Kindheit nicht betreten dürfte. Ich kann ihn vor mir sehen, mit seinen wild funkelnden Augen. Ich sehe, wie er mit dem Vorwurf »Und das lasst ihr mit euch machen?« unsere verachtenswerte Unmündigkeit aufdecken würde. Denn was sollte ich ihm entgegnen, ohne mich gleichzeitig selbst zu verraten? Dass man dagegen nichts unternehmen könnte? »Was habt ihr denn versucht?«, wäre seine Frage, auf die »nichts« die schlechteste aller Antworten wäre. All unsere Bemühungen, ihn von der Gewalt fern zu halten, wären dahin, denn dann würde er zu den Waffen greifen, würde versuchen, die Ehre seiner Familie zu verteidigen, und sein Stolz würde mir den Sohn nehmen.

Andererseits weiß ich, dass Usama mich nicht verstehen kann. Es quält ihn, durch mein regelmäßiges Aufbegehren immer wieder an Situationen erinnert zu werden, die er so gern verdrängen würde. Ich weiß noch, wie er als kleiner Junge die Masern hatte, sie aber so vollkommen in seine Traumwelt einbaute, dass sie zu kleinen Insektenbissen wurden, denen er auf seinen täglichen Expeditionen trotzen musste. Die Wahrheit wollte er einfach nicht akzeptieren, und ich war kurz davor, ihn ans Bett zu binden, um zu verhindern, dass er weiter durch die Gegend strich und möglicherweise andere Kinder ansteckte.

Was Falastin betrifft, habe ich kaum Einblick in ihre Gedanken. Immer wieder erkenne ich, dass ich die älteste meiner Töchter am wenigsten begreifen kann. Muss ich das? Tue ich ihr unrecht? Verstecke ich mich hinter der Meinung, sie ohnehin nicht verstehen zu können, und gebe ihr deshalb keine Chance? Falastin ist wie ein Schwamm. Sie saugt Emotionen, Stimmungen und Gespräche auf, und kein Wimpern-

schlag, kein Zucken ihrer Mundwinkel, keine Regung ihrer Gesichtszüge verraten, ob überhaupt etwas angekommen ist. Man ist versucht, hart zu ihr zu sein, weil man eine Reaktion ersehnt, weil es Momente gibt, in denen man sie lieber traurig sehen würde als hinter dieser Maske des immer Gleichen. Wäre sie anders, wenn unser Leben anders verlaufen wäre? Versteckt sie sich hinter der Unfähigkeit, Gefühle zeigen zu können, weil sie so verletzlich ist? Aber die Zeit, das herauszufinden, habe ich leider kaum. Die Schule, die Kinder, das Dorf. Dieses Leben hält mich fest umklammert, lässt mir nur die wenigen Minuten meiner Aufzeichnungen, bevor es mich wieder einnimmt und in den Strom des Alltags reißt.

Denke ich an meine Kinder, merke ich, wie ich Teil von ihnen bin und sie Teil von mir. Ich sehe Mohammed und Isra'a, die mir ähnlich sind, mir gnadenlos meine eigenen Fehler vor Augen führen. Usama und Falastin, die mir bewusst machen, dass es andere Meinungen gibt, dass Menschen verschiedene Bedürfnisse haben können. Die Gedanken an meine Kinder führen mich auf wundersame Weise tief und wahrhaftig an mich heran. Sie beantworten mir oft Fragen des Lebens, erklären mir meine Handlungen. Manchmal scheint es mir fast magisch, von Wesen umgeben zu sein, die vieles von einem selbst in sich tragen und doch ganz eigenständige Persönlichkeiten sind.

Mein Zorn verfliegt in der Gewissheit, dass es auf dieser Welt außer Ungerechtigkeiten auch noch so etwas

Wunderbares wie die eigenen Kinder gibt. Ich weiß, der Friede, der mir daraus erwächst, wird nicht lange währen, doch entlässt er mich jetzt in eine Ruhe, die mir etwas Schlaf und Hoffnung für den kommenden Tag gibt.

5

Jeden Tag dieselbe Prozedur: aufwachen, frühstücken, ankleiden, um schwerfällig den Weg zur Haustür hinaus zu finden, in den Wagen zu steigen und erneut das Glück am Checkpoint herauszufordern, auch wenn es ihrem Mann aussichtslos erschien. In den letzten vier Tagen unternahm Umm Mohammed immer wieder den Versuch, irgendwie durch das Tor zu kommen, jedes Mal erneut mit der Hoffnung, dass es ihr dieses Mal gelänge. Aber vergeblich. Dann fuhr er sie nach Hause, niedergeschlagen, weil auch ihr Mann, trotz seiner anhaltend pessimistischen Haltung, zumindest einen Funken Hoffnung in sich trug; aber auch dieser erwies sich letztendlich als trügerisch.

Wenn sie dann allein zu Hause saß, weil die Kinder und ihr Mann ihren täglichen Verpflichtungen nachgingen, versuchte sie zu lesen. Doch die Wörter flogen vorbei, ohne dass Umm Mohammed sie begreifen konnte, ohne dass die geschriebenen Sätze einen Sinn für sie ergaben. Sie war nicht aufnahmefähig, denn sie war vollauf mit Überlegungen beschäftigt, die ihre Situation betrafen.

Oft genug musste sie dann an die Dorfbewohner und ihre Nachbarn denken, an jenen Tag, als sie sich vor der

Moschee versammelt und allesamt gerufen hatten, dass sie sich den Erlass, ihren Wohnort nur noch mit einem Passierschein betreten zu dürfen, nicht gefallen lassen würden. Sie dachte daran, wie die Leute in nostalgischen Erinnerungen an die erste Intifada schwelgten, wie sie sich darin suhlten, das Gedenken daran aber nur einen Tag später verrieten, indem sie ihren Stolz aufgaben, wie demütig winselnde Hunde, die vor ihrem Herrn auf dem Boden ihres unabwendbaren Schicksals liegen.

Verachtung vergiftete ihr Herz. Nach Möglichkeit vermied es Umm Mohammed das Haus zu verlassen, da sie ihr Brandmal nicht spazieren tragen wollte, wussten doch inzwischen alle im Dorf, wie es um sie bestellt war. Wenn ihr dann jemand begegnete, sie freundlich grüßte und nach ihrem Befinden fragte, wohl wissend, dass es nicht gut darum bestellt war, dann bereitete es ihr Genugtuung, sich vorzustellen, wie sie die ihr entgegengebrachte besorgte Freundlichkeit auf den Boden schleuderte, um laut spottend darauf herumzutreten.

Einmal war sie Umm Bassam begegnet, ebenfalls eine derer, die nichts anderes als hohle Phrasen hinausposaunten. Ohne sich irgendeiner Schuld bewusst zu sein, fragte diese scheinheilig, warum Umm Mohammed denn ihren Tasrih zerrissen habe und wie sie dies nur ihrer Familie habe antun können? Entrüstet fuhr Umm Mohammed auf, entgegnete mit wutverzerrtem Gesichtsausdruck, dass nicht sie es sei, die sich etwas vorzuwerfen habe, vielmehr seien es die anderen, allen voran Umm Bassam selbst, da sie ihr in den Rücken gefallen sei, weil sie sich nicht daran gehalten habe, den Tasrih zu ignorieren. Sie erinnere sich doch noch an die Abmachung, gemeinschaftlich zu handeln. Alles wäre anders gekommen, hätte man diese Übereinkunft befolgt.

Ach, nur Gerede, erwiderte Umm Bassam, das könne nicht ernst gemeint gewesen sein, da ihr Mann darauf angewiesen sei, jeden Tag das Gemüse auf dem Hisbeh – dem Großmarkt – zu verkaufen. Umm Mohammed hatte sich das bereits gedacht, als niemand die Konsequenz aus dem zog, was sie verabredet hatten, und sie glaubte erkannt zu haben, dass in diesem Land zu viel geredet, aber zu wenig unternommen wird.

Sie hatte sich zuweilen gefühlt, als ob man sie in ihrem eigenen Haus in Ketten gelegt hätte, verdammt dazu, lediglich den Weg von der Küche in das Wohnzimmer und in das Schlafzimmer zurückzulegen, ohne die Aussicht auf eine Veränderung. Das ganze Leben schien in dieser Weise an ihr vorbeizurauschen, eine Vorstellung, die sie zutiefst erschütterte. Doch machte sie sich Mut, indem sie sich immer wieder sagte, dass sie es durchstehen werde, komme, was wolle, denn es gebe noch andere, die für dieselben Werte einstünden.

Doch irgendwann ergriff sie die Sorge um ihre Schülerinnen, die sie glaubte damit allein gelassen zu haben, wie Chada, deren einziger Anlaufpunkt außerhalb ihrer Familientragödie die Schule war, in welcher ihre Gedanken der Erinnerung an den Tod des Vaters entfliehen konnten, wenn auch nur für den Zeitraum des Unterrichts. Die Blumen der Zukunft müsse sie gießen, und sie dürfe sie nicht verdursten, verwelken oder gar vertrocknen lassen – das schwor sie sich.

Wieder stehen Umm Mohammed und ihr Mann an dem Tor zum Westjordanland, wieder winken Soldaten die Autos zu sich, um die Papiere zu überprüfen, und wieder stauen sich die Wagen vor den Betonbarrikaden auf der Fahrbahn, nur geht es diesmal zügiger zu. Sie hat sich vorgenommen, nichts zu sagen, den Soldaten nicht anzuschauen, vielleicht würde er dann ihren Ausweis gar nicht erst sehen wollen, vielleicht würde er sie aufgrund einer Nachlässigkeit passieren lassen, vielleicht würde ein Wunder geschehen. Nun, da sie näher herangekommen sind, kann Abu Mohammed erkennen, dass es heute andere Männer sind als in den letzten Tagen, blickt dabei hoffnungsvoll seine Frau an und bittet sie, nichts zu sagen. Sie nickt gefasst, doch insgeheim widerstrebt es ihr, da sie innerlich noch immer nicht geläutert ist. Der Israeli winkt, und Abu Mohammed drückt leicht auf das Gaspedal, so dass sich der Wagen im Schneckentempo auf das vor ihnen liegende Wachhaus zubewegt; nur keine Hektik, damit die Soldaten keinen Verdacht schöpfen. Er greift schon jetzt in die Brusttasche seines Hemdes und zieht seinen Ausweis behutsam heraus, so als ob er mit dieser Bewegung keine schlafenden Hunde wecken wolle, und streckt den Arm mitsamt dem Passierschein aus dem Fenster hinaus.

Doch im selben Moment, in dem der Soldat auf den

Wagen zutritt, nach den Papieren greifen will, ertönt ein lautes Ilai, sein Name. Er dreht sich um und erblickt einen Kollegen, der ihm aus irgendeinem Grund bedeutet, herzukommen. Ilais Blick streift flüchtig Abu Mohammeds Ausweis, in dem das Blau-Grün des Passierscheins schimmert, und winkt ihn schnell durch, um anschließend in das Wachhaus zu eilen. Doch Abu Mohammed bewahrt die Ruhe, will sich noch nicht zu früh freuen, fährt ganz langsam an, um die letzten beiden Barrieren herum, und als das Wachhaus mitsamt den Soldaten hinter ihm liegt, drückt er auf das Gaspedal und rauscht freudig über die Landstraße. Auch seine Frau atmet nun erleichtert auf, kann ihr Glück kaum fassen, endlich, nach Tagen, wieder nach Dschenin zu kommen.

Chalijet Al-Nahl – Bienenstock – nennen die Leute die Schule. Als Umm Mohammed endlich in deren Nähe kommt, muss sie über diesen treffenden Vergleich lächeln. Nicht nur, dass die unzähligen kleinen Fenster in dem von Sonne und Zeit gelblich gefärbten Gebäude an Waben erinnern, es sind besonders die Schülerinnen, die mit ihren kurzen Beinen und den großen Schultaschen gleichsam wie pollenschwere Bienen aus allen Richtungen herbeiströmen, so als lockte sie irgendetwas mit hypnotischer Kraft an.

In Umm Mohammed lösen die kleinen Arbeiterinnen einen tiefen Stolz aus, den Stolz auf ein Land, das sich noch nicht aufgegeben hat, das aller Widerstände zum Trotz an seine Kinder und Jugend glaubt, voll der Hoffnung, dass sich die Dinge zum Guten wenden und man eines Tages vom süßen Honig werden kosten könne.

Die Mädchen sind noch in die vielen kleinen Spiele vertieft, auf die sie mit ihren zehn Jahren nicht verzichten wollen, als Umm Mohammed das Klassenzimmer betritt und sich einen Moment lang von der Verzückung, die dieses Bild in ihr auslöst, verführen lässt.

Es ist Maha, ein freches und aufgewecktes Mädchen aus einer der hinteren Reihen, die ihre Lehrerin in dem Pausengewühl entdeckt, ihr freudig zuruft. Im Nu wird Umm Mohammed von ihren Schülerinnen umkreist, welche sie gewähren lässt, weil sie spürt, dass sie vermisst wurde und viele die physische Gewissheit einer Berührung benötigen, da ihr Glaube zu häufig enttäuscht worden war. Aber nach kurzer Zeit reicht ihr energischer Gang zum Lehrerpult, um die Kinder auf ihre gewohnten Plätze zu treiben, von welchen sie ihre Lehrerin nun mit erwartungsvollen Gesichtern anblicken. Aber Umm Mohammed möchte weniger die Umstände ihrer Abwesenheit erklären als vielmehr erfahren, warum drei der Plätze unbesetzt sind.

Der Tod eines Kindes ist die unbarmherzigste aller Grausamkeiten, weil nur wenige den Grund dafür in Gottes weisen Entscheidungen zu finden vermögen. Eine Lehrerin und Mutter ist dem doppelt ausgeliefert, und so dankte Umm Mohammed Abend für Abend Allah, dass ihre Lieben verschont geblieben waren, und betrat jeden Tag aufs Neue mit bangem Herzen das Klassenzimmer, vergewisserte sich mit einem prüfenden Blick über die Sitzreihen, ob alle versammelt waren.

Jetzt fehlt Dina, von der niemand Nachricht hat; und Nadja, von der einige glauben, dass ihr die Eltern den weiteren Schulbesuch verweigern, waren sie doch seit jeher sehr traditionell und hielten die Ausbildung von Frauen für reine Zeitverschwendung.

Aber es liegt noch ein anderer Schrecken in der Luft, den Umm Mohammed in den Blicken der Kinder sieht, welche sich senken, um etwas zu finden, das sie nicht benennen können. Unwillkürlich wandert ihr Blick zu Chada, um die sie sich in Um Al-Rihan so viele Sorgen gemacht hatte, doch das Mädchen weicht ihr aus, fast scheint es, als würde sie sich für etwas schämen, so dass Umm Mohammed sich schließlich hoffnungsvoll Abir, der Klassensprecherin, zuwendet.

Zinas Bruder Tarek sei von einem Verräter denunziert worden, angeblich ein Selbstmordattentat geplant zu haben. Abir stehen die Tränen in den Augen. Was dies für den Jungen bedeuten würde, musste man den Mädchen nicht erklären, denn Tarek war sechzehn Jahre jung, und man sagt, dass er eine Haftstrafe von sechzig Jahren erhalten solle. Bei seiner Entlassung wäre er also ein alter Mann, der unschuldig verurteilt hat zusehen müssen, wie sein Leben an ihm vorbeizog.

Umm Mohammed hört sich selbst sagen, so als ob sie eine andere wäre, dass dieser Irrtum sich bestimmt aufkläre, denkt aber dabei, dass Worte, an die man nicht glaubt, hohl klingen, an Wänden abprallen, dort in einem nicht enden wollenden Klirren hinabregnen, um dann am Boden aufzuschlagen und dem Verursacher tausendfach die Wahrheit zurückzuschleudern.

Umm Mohammed fühlt sich seltsam schwanken. Sie verspürt die Unfähigkeit zu handeln, etwas Ermutigendes zu sagen, während zweiundzwanzig Mädchen von ihr eine Antwort erhoffen, so einfach wie eine mathematische Gleichung, welche ihnen das alles erklären könnte, die es aber nicht gibt, weil menschliche Grausamkeit nicht zu begreifen ist.

Nun führt auch ihr Blick sie nach draußen, lässt sie das Ausmaß der Traurigkeit fühlen; sie sieht die heruntergekommenen grauen Häuser, den dunklen Himmel, der keinen Regen versprüht; die Euphorie und der Triumph des Morgens gehören bereits der Vergangenheit an, scheinen unendlich weit weg.

Sie hat lange gewartet, spürt die Unruhe der Mädchen, und als sie endlich wieder spricht, sind es die Worte einer Frau, die das ungerechte Schicksal eines Jungen zutiefst erschüttert hat und die nur Worte der Betroffenheit finden kann, nicht des Trostes, weil es auch für sie in diesem Moment keinen Ausweg gibt. Sie sollten beten und hoffen, für Tarek, für seine Familie, und Zina eine Stütze sein. Doch jetzt sei es an der Zeit, das Versäumte nachzuholen, da Prüfungen nur selten Entschuldigungen gelten lassen.

Das Rascheln der herausgekramten Bücher und Hefte bringt eine wohltuende Alltäglichkeit zurück, und voller Eifer tragen die Schülerinnen verschiedene Staatsformen zusammen und übertragen ein an die Tafel gemaltes Schema Umm Mohammeds in ihre Hefte.

Dieses Mal hat das Läuten der Schulglocke etwas Befreiendes, und als das Zimmer leer ist, lehnt sich Umm Mohammed kraftlos in ihrem Stuhl zurück. Sie schämt sich dafür, den Mädchen nichts Hilfreiches mit auf den Weg gegeben zu haben. Hätte sie nicht eine Geschichte oder ein Gleichnis finden müssen, um ihnen den Schrecken wenn nicht zu nehmen, dann doch begreifbar zu machen? In Gedanken betritt sie noch einmal das Klassenzimmer, aber das Bild, das ihr vor kurzem noch so friedvoll erschienen war, hat jetzt etwas Verstörendes. Einige der Mädchen waren in Gruppen zusammengestanden und tuschelten, während andere sich mit Fäden an Fingerspielen übten, gemeinsam auf einen Block kritzelten oder in den Quadraten des Fußbodens nach ihren eigenen Regeln hüpften. Doch es lag keine Freude, nichts Unbeschwertes in der Luft, nichts von dem Zauber der Entrücktheit, welcher gemeinhin beim Spielen der Kinder entsteht.

In Umm Mohammeds Gedanken verändern sich die Mädchen, ihre Körper wirken gedrückt, als trügen sie eine schwere Last, ihre Bewegungen und Handlungen scheinen erzwungen, und die Gesichter zeigen schon die Spuren eines Lebens, das eigentlich noch zu jung ist, um Gestalt anzunehmen.

Ganz allein an ihrem Tisch saß Chada und malte ein

Bild, und Umm Mohammed versteht nun. Wie hatte ihr das nicht auffallen können? Wie hatte ihr das nur entgehen können? Denn Chadas Vater war vorgeworfen worden, ein Verräter gewesen zu sein, so wie jener, der Tarek denunziert hatte, und nun sieht sie wieder Chadas Reaktion, als sie ihr Blick traf, wie verschämt sie wirkte, so als trage sie die Schuld an Tareks Schicksal.

Umm Mohammed ist blind gewesen, doch am nächsten Tag würde sie vorbereitet sein. Sie muss das Gleichgewicht wiederherstellen, verhindern, dass nicht auch Chada zum Sündenbock gemacht werden würde, verraten wie Tarek. Sie stößt einen tiefen Seufzer aus, verstaut schwerfällig alle Unterlagen. Wie eigenartig der Mensch doch funktioniert, denkt sie, denn ist er euphorisch und gut gelaunt, strahlen selbst die schlimmsten Ereignisse in den schönsten Farben, versinkt aber die Welt um ihn herum in einer trüben Suppe aus Tragödie und Selbstmitleid, bleibt auch der fröhlichste Vogel dumpf und grau.

In der Innenstadt sitzt eine alte Frau auf einem klapprigen Stuhl. Um sie herum stehen Tüten mit Salbei, Thymian, Pfefferminze und anderen Kräutern, die sie zum Verkauf anbietet, während Umm Mohammed gleich gegenüber, auf der anderen Straßenseite, ihren Mann zum verabredeten Zeitpunkt erwartet. Sonnenstrahlen fallen vereinzelt durch die dichte Wolkendecke über der Stadt, so dass sich auf dem Boden Lichtflecken mit dem grauen Asphalt abwechseln. Die alte Frau blickt zum Himmel hoch, und es scheint, als erwarte sie, dass der Allmächtige ihr, der zeitlebens frommen Dienerin, einen dieser wundersamen Strahlen ins Herz sendet und ihre Seele mit einer unermesslichen Ruhe erfüllt. Umm Mohammed muss an ihre verstorbene Mutter denken, die mit dieser erwartungs- und hoffnungsvollen Frau eine verblüffende Ähnlichkeit hat. Aber auch wenn sich Menschen zum Verwechseln gleichen, ihr Wesen unterscheidet sich ganz gewiss.

Als wenig später Abu Mohammed eintrifft, treten die beiden die Heimfahrt nach Um Al-Rihan an. Ihr Mann sieht müde und erschöpft aus, sagt, er sei kurz in Salem gewesen, habe sich dort bei den israelischen Beamten nach einem neuen Passierschein für sie erkundigt. Umm Mohammed wehrt ab, sie wolle das nicht, da sie an ihrem Vorhaben festhalten möchte. Doch in ihrer Stimme schwingt nicht mehr die Entschlossenheit wie noch vor einigen Tagen, denn was ist schon ihr Leid, verglichen mit dem der Mädchen aus ihrer Klasse. Ihr Mann starrt sie ungläubig an, sagt, dass sie dieses Mal rausgekommen sei, doch nun stehe die Rückkehr an. Das Glück solle man nicht allzu oft herausfordern, es sei hinterhältig und unzuverlässig, da es komme und gehe, ohne dass man sich darauf verlassen könne.

Der gleiche Weg, dieselbe Prozedur, nur in entgegengesetzter Richtung, also nach Um Al-Rihan hinein. So spät am Nachmittag warten unzählige Fahrzeuge am Checkpoint. Die Soldaten laufen geschäftig hin und her, wie aufgescheuchte Hühner. Keiner der Passagiere steht auf der

Straße, denn sie wurden alle aufgefordert, in den Wagen zu bleiben.

Sie warten und warten, alles steht still, und nicht einmal das Geräusch eines laufenden Motors ist zu hören. Drei Stunden sind bereits vergangen, und Umm Mohammed fühlt sich gefangen zwischen dem endenden Tag und der nun hereinbrechenden Nacht. Langsam wird es kalt, die Motoren heulen auf, die Lichter werden angeschaltet, und erste Fahrzeuge passieren das Tor, welches nur noch wenige Stunden geöffnet ist.

Sie starren geradeaus, schweigen, warten. Abu Mohammed raucht eine Zigarette, dann noch eine, mit offenem Fenster, und Umm Mohammed zieht sich die Jacke enger um den Oberkörper; sie friert. Sie beobachten, wie das letzte Abendrot hinter dem Horizont verschwindet, wie in Zeitlupe. Das Warten wird nun von Minute zu Minute unerträglicher. Noch immer mindestens zehn Autos, bevor sie an der Reihe sind, dann neun, und wieder muss der Fahrer den Kofferraum öffnen, den Soldaten erklären, was in den Tüten und Kartons ist; dabei kann sich der Mann glücklich schätzen, dass sie ihm nichts abnehmen oder zerstechen, weil sie vermuten, dass sich darin Sprengstoff befindet.

Dann endlich sind Umm Mohammed und ihr Mann an der Reihe, nachdem sie ein Uniformierter hergewinkt hat. Abu Mohammed fährt wie schon am Morgen langsam an, das Lenkrad in der einen Hand, seinen Ausweis und den seiner Frau in der anderen, um sie aus dem Fenster zu reichen, sobald er an dem Wachhaus zum Stehen gekommen ist. Der Soldat nimmt die Papiere entgegen, betrachtet sie, sagt Abu Mohammed, er solle aussteigen, den Kofferraum öffnen, in dem sich aber nichts befindet. Was mit dem Tasrih seiner Frau sei? Abu Mohammed erwidert, dass sie noch keinen bekommen habe, worauf der Israeli ihm die Identitätskarten wieder in die Hand drückt, in die Richtung zeigt, aus der sie gekommen sind, aus Dschenin, und trocken sagt, dass seine Frau nicht passieren könne, er aber schon. Sie habe wirklich noch keinen bekommen und wolle nach Hause zu den Kindern, ob er nicht eine Ausnahme machen könne. Doch der Mann schüttelt den Kopf, es gebe noch andere, die warten, er solle jetzt von hier verschwinden, fügt der Soldat mit Eiseskälte hinzu.

Abu Mohammed steigt in den Wagen, wirft seiner Frau die Ausweise auf den Schoß und blickt sie hilflos an. »Und was jetzt?«, fragt er.

Nach einem Moment der Ratlosigkeit sagt sie: »Zu Umm Asem, meiner Schwester.«

TAGEBUCHNOTIZ

In den Nächten, wenn seine Bewohner schlafen, kann man die Seele eines Hauses spüren. Ich saß ganz still, hielt die Augen geschlossen und fühlte sie. Umm Asems Haus trägt viel Liebe und Fröhlichkeit in sich, und seine Wände spenden Kühle in der Hitze, Wärme in der Kälte. Das hört sich so gewöhnlich an, doch ich habe Häuser kennen gelernt, die sind so von ihren Bewohnern oder von den Umständen verdorben, dass sie immer kalt, immer heiß oder auch immer feucht sind. Man fühlt sich unwohl in ihnen, sucht einen Schlupfwinkel, doch den gibt es nicht. Ich habe festgestellt, dass die Häuser sich in den letzten Jahren verändert haben, immer seltener können sie einem wirkliche Geborgenheit geben.

Hier ist es anders. Das Haus heißt mich willkommen, ist bereit, mir Schutz zu gewähren, denn nach diesem Tag voller Euphorie und Trauer, Freude und Ernüchterung bin ich nicht mehr die Frau, die noch an diesem Morgen voller Kraft aufstehen konnte. Mein Innerstes liegt bloß, und ich bin zu müde, die offenen Stellen schützend zu bedecken.

Es ist ganz still. Die Familie meiner Schwester hat einen guten Schlaf. Ich bin es, die Unruhe hier hereinbringt, deren Gedankenstrom nicht verebben mag.

Ich sehe die Schülerinnen vor mir, die sich freuen, dass ich wieder da bin. Während meiner Abwesenheit ist der Unterricht ausgefallen und damit ein Stück

Normalität, ein Rest heile Welt, aus dem Leben der Mädchen verschwunden. Und immer wieder erscheinen die drei leeren Stühle vor meinem inneren Auge. Sie haben sich in mein Gedächtnis gebrannt, werfen mir meine Abwesenheit vor: »Schau an, was passiert, wenn du uns im Stich lässt!« Die kleine Dina mit den dünnen Gliedern und dem viel zu großen Kopf. Hoffentlich hat sie wirklich nur eine Grippe. Immer wieder muss ich über mich selbst staunen, mit welcher Bestimmtheit ich so etwas behaupten kann. Aber hilft es? Soll man den Kindern Geschichten erzählen, wenn sie früher oder später mit jeder Wahrheit werden klarkommen müssen?

Der Schrecken in ihren Gesichtern, als sie mir von Tarek erzählen. Ihr berechtigtes Zweifeln an einer Welt, die solch schreiendes Unrecht zulässt. Was habe ich dem entgegenzusetzen? Dass sie mit einer guten Ausbildung alles erreichen können? In einem Land, das einem Gefängnis gleicht und dessen Arbeitslosenzahlen Rekordhöhe haben? In einem Land, in dem Willkür den Kindern die Sicherheit nimmt, dass die Sonne am nächsten Morgen wieder aufsteigen wird? In dem allein schon die Hoffnung ein selten erreichtes Gut ist?

Was kann ich einem Mädchen sagen, das auf diese Weise ihren Bruder verlieren musste? Dass alles nur ein böser Traum sei, dass die Gerichte den Fehler einsehen und er bald heimkommen werde? Wo doch schon die kleinen Kinder wissen, dass man uns Paläs-

tinensern die Gerechtigkeit gestohlen hat (klammheimlich, so dass wir uns noch nicht einmal an den Zeitpunkt erinnern können). Denn erst haben wir gedacht, sie würde nur schlafen. Dann wurde es ein sehr langer Schlaf, und die Ersten wurden unruhig, aber, in Allahs Namen, sie würde schon aufwachen. Dass sie in diesen Tagen schon längst verschwunden war und auch in absehbarer Zeit nicht wiederkehren würde, können viele noch immer nicht begreifen. Erst vor kurzem hat mir Abu Said voller Freude mitgeteilt, dass der Mauerbau von dem Internationalen Gerichtshof behandelt werden wird. Hat er nicht verstanden, dass uns niemand helfen kann, solange sie nicht aus den Ketten der Besatzer befreit wird – die Gerechtigkeit?

Ich kenne die Familie von Tareks Verräter. Flüchtig nur, aber es reicht, um ihre Angst zu spüren. Er selbst wird geflohen sein. Solche wie er sind die giftigen Stacheln im eigenen Fleisch, und der Hass gegen sie übersteigt bei weitem den gegen die Israelis. Ich fühle die Wut, von den eigenen Leuten verraten zu werden, ich könnte sie schütteln, könnte schreien, wünschte mir nichts mehr, als diesen Menschen klar zu machen, dass sie das Schlimmste sind, was unserem Volk widerfahren konnte. Wenn wir anfangen, von innen her zu zerbrechen, ist alles vergebens. Unser so genannter Staat zerfällt. Nein, er wird von der Korruption der Mächtigen, vom Egoismus der Einzelnen systematisch zerstört.

Wir waren ein Bollwerk der Solidarität. Unsere Strukturen widerstanden durch gegenseitige Achtung, durch familiäre Liebe, und wir trotzten gegen das Böse von außen. Ich sehe dieses Bollwerk, auf das ich in der ersten Intifada so stolz gewesen war, bröckeln, sehe Einzelne verzweifelt zu den maroden Stellen laufen, sehe, wie sie versuchen, den Zerfall aufzuhalten. Doch für jeden herausgefallenen Stein, den sie an seinen Platz zurücklegen, fallen zwei neue herab, und ihr Schrei der Verzweiflung steigt in die Höhe, verbindet sich mit dem der anderen, und dieses Gewitter fährt in uns, die wir noch standhaft sind, und droht uns von innen zu zersprengen.

Ich spüre die Angst der Familie des Verräters. Sollten sie ihn nämlich finden, werden sie ihm Unsagbares, Unvorstellbares antun. Sie werden imstande sein, ihn auf offener Straße, vor den Augen seines Kindes, einer kleinen Chada, zu töten. Dabei weiß noch immer niemand genau, was die Wahrheit ist, ob ihr Vater letztendlich nicht unschuldig hatte sterben müssen.

Ich ertappe mich selbst dabei, noch gestern an das Gute in diesem Mann geglaubt zu haben, der die Menschen zwar mit seiner ruppigen Art brüskieren konnte, mir aber nie falsch und hinterhältig begegnet war. Und jetzt, nachdem ich von Tarek gehört habe, beginne ich an ihm zu zweifeln, muss mich beherrschen, um Chada nicht mit anderen Augen zu sehen. Wie leicht findet sich ein Sündenbock, und welche Erleichterung glaubt man aus dem Umstand zu ge-

winnen, mithilfe eines Stellvertreters der Gerechtigkeit Genugtuung verschaffen zu können, und sei es auf Kosten eines wehrlosen, mit Sicherheit unschuldigen Mädchens?

❁

Das Ergebnis, das Produkt einer Gesellschaft im Krieg ist die Gewalt. Es bringt nichts, dies zu leugnen, man kann es jeden Tag sehen. Selbst meine Mädchen kann ich nicht retten. Ich kann versuchen, ihre Wut zu zügeln, doch der Samen ist gelegt, und sollte sich ihnen die Möglichkeit nach Vergeltung bieten, werden sie nicht zögern, diese zu ergreifen.
Was würde ich machen, wenn eines meiner Kinder ein Kollaborateur wäre? Eine Mutter müsse so etwas merken und verhindern, sagen die Leute, wenn sie ihr die Scheiben einschlagen. Ist das so? Weiß ich, was in Usamas Kopf vor sich geht oder gar in Falastins? Ich kann nur hoffen, dass ich ihnen allen die richtigen Dinge mit auf den Weg gegeben habe. Aber nein, so etwas würden sie nicht machen. Ich schulde es meinen Kindern, ihnen zu vertrauen. Viel haben sie auch ihrem Vater zu verdanken. Ich weiß, dass ich in meiner hitzigen Art übers Ziel hinausschießen kann, und seine Ruhe, seine Besonnenheit sind ein guter Gegenpart dazu. Seine Diplomatie nimmt mitunter sogar weise Züge an. Er scheint immer zu wissen, wo er einen Menschen greifen muss, ohne ihn vor den Kopf

zu stoßen. Selbst in Falastin scheint er lesen zu können, und mit ihrer unbedingten Liebe gibt sie ihm dieses Verständnis doppelt zurück.

Er kann mich zur Weißglut treiben, dieser riesige, schwerfällige Mann mit der Seele und den Träumen eines Kindes. Doch in ruhigen Momenten, in Momenten, in denen er weit weg ist, danke ich Allah dafür, dass er uns zusammengeführt hat.

6

Umm Asems schmales und blasses Gesicht zeigte ein freundliches Willkommenslächeln. Ihre gesamte Erscheinung strahlte eine Herzlichkeit aus, die Umm Mohammed gefangen nahm und sie veranlasste, ihre Schwester liebevoll zu umarmen. Dann erschien ihr Schwager, Abu Asem, der jungenhaften Charme versprüht, obwohl seine Haare bereits im Alter von fünfundvierzig Jahren völlig ergraut sind, tiefe Furchen seine Stirn durchziehen und er deshalb dem Aussehen nach weit älter erscheint, als er tatsächlich ist.

Ahlan – willkommen, begrüßten die Kinder – die freche Jaffa, der aufgeweckte Hamudi, die schüchterne Itab und der reife Asem – ihre Tante und ihren Onkel, um jedoch gleich wieder in ihre Zimmer zu verschwinden, wo sich die Jungen in die virtuelle Welt eines Nintendo-Spiels flüchteten und die Mädchen sich dem Malen und Lesen widmeten – Zeitvertreib in einem Land, in welchem die Kinder den Duft der Abendbrise nur erahnen können, da zu dieser Zeit auf den menschenleeren Straßen der Stadt meist nur noch das Gesetz der Waffen herrscht.

Wie das Geschäft laufe, fragte Abu Mohammed neugierig den Schwager, welcher einen Gewürzladen führt. Er habe schon bessere Zeiten erlebt, heute verirre sich nur noch selten jemand in sein Geschäft, weil die Leute nicht mehr kaufen würden. Wie auch, schließlich habe sich in den letzten Jahren die finanzielle Lage der Menschen dramatisch verändert. Neulich habe eine Frau bei ihm reingeschaut und nach fünfzig Gramm Salbei gefragt. Abu Asem schüttelte den Kopf. Wer kaufe schon fünfzig Gramm Salbei, das koste doch nicht einmal einen Schekel? Dennoch sei ihr das zu teuer gewesen.

Umm Asem warf in das Gespräch der Männer ein, dass ihre Schwester Fida'as oder Malaks Bett benutzen könne, da diese nur am Wochenende aus Nablus nach Hause kämen. Ein betretenes Schweigen machte sich breit, das Umm Mohammeds redseliger Schwester unangenehm war. Daher durchbrach sie die Stille und fragte, was ihre Schwester nun zu tun gedenke, jetzt, da sie zuerst aus Um Al-Rihan nicht herausgekommen sei und nun nicht mehr hineingelangen könne.

Sie wisse es noch nicht, antwortete sie zögerlich. Doch da ergriff Abu Mohammed das Wort, indem er seinen Beschluss verkündete, am morgigen Tag nach Salem, zur Militärverwaltung für den Norden des Westjordanlandes, zu fahren, um dort einen neuen Tasrih zu beantragen. Wie ein Blitz durchfuhr Umm Mohammed diese Äußerung, nicht weil sie ihm hätte widersprechen wollen, sondern weil sie sich übergangen fühlte, und das auch noch vor ihrer Schwester und ihrem Schwager, die diese Idee mit einem Nicken kommentierten und damit seinen Vorschlag als vernünftig erachteten. Nicht eine Silbe kam Umm Mohammed über die Lippen. Sie schwieg, war sprachlos, konnte es nicht fassen; doch was sie noch viel mehr verärgerte, war die Tatsache, dass die drei nun erörterten, welches die beste Vorgehensweise sei, um den Umstand, dass sie den Passierschein zerrissen habe, zu verbergen, weil es sonst aussichtslos sei, einen neuen Tasrih zu erhalten.

Abu Mohammed wusste, dass seine Frau innerlich kochte, dachte aber nicht weiter darüber nach, glaubte, dass sich das Unwetter ihres Ärgers am nächsten Tag sicherlich gelegt haben würde, und verabschiedete sich kurze Zeit später, um die Heimfahrt anzutreten, ein willkommener Anlass für Abu Asem, sich ebenfalls zurückzuziehen, um die Frauen allein zu lassen.

Als ihr Mann gegangen war, blickten Umm Mohammeds Augen noch einen Moment lang zornig zur Tür, so als erhoffte sie sich, dass er zurückkäme, damit sie ihm ihre Vorwürfe entgegenschleudern könnte. Sie fing sich aber schnell wieder, wandte sich ihrer Schwester zu, der Umm Mohammeds Missfallen nicht verborgen geblieben war. Sie verstehe sie nicht, sagte Umm Asem, ihr Mann lese ihr doch die Wünsche von den Augen ab, bringe sie jeden Tag zur Schule, hole sie ab, kümmere sich um sie, werde nie ausfallend oder aggressiv – was wolle sie denn mehr?

Ob sie wirklich glaube, dass das Leben mit ihm ein besonders großes Vergnügen sei, entgegnete sie aufgebracht. Wer mit jemand wie ihm zusammenlebe, mit einem Engel, der werde zum Untier, ob sie das verstehe? Umm Asem schüttelte den Kopf, fragte, weshalb es so schwer sei, dies einfach anzunehmen.

Er wäre zu gut, und sein Gutsein sei schon nicht mehr menschlich, immer sei er vernünftig, gebe nach, versuche zu beschwichtigen, und es sei zum Verrücktwerden, weil sie sich an einer Ecke, an einer Kante stoßen wolle. Er habe aber kaum welche, und das sei schrecklich, zum Verzweifeln, weil sie sich dann immer nur durch ihn an ihren eigenen Kanten und Ecken stoße, und das mache sie rasend, ob sie das nun verstehe? Nein, wirklich nicht. Befremden zeichnete sich in Umm Asems Gesichtsausdruck ab, und sie gab ihrer Schwester zu bedenken, dass sich dies in ihren Ohren anhöre, als ob sie ihrem Mann ihre eigenen Versäumnisse vorwerfe.

Das saß. Ein Nadelstich mitten in ihr Herz, eine kleine, aber tiefe Wunde, die Umm Asem ihrer Schwester zugefügt hatte und welche sie nun dazu veranlassen musste, über all das, was sie in den letzten Wochen getan oder gesagt hatte, nachzudenken, es vielleicht sogar zu bereuen.

Umm Mohammed hat es sich zu Eigen gemacht, jeden Morgen zu genießen, indem sie andächtig in die Welt eines neuen Tages schreitet und eintaucht in das warme Licht der Sonne. Sie nimmt die klaren Farben in sich auf, lässt sich von ihnen locken, voller Vorfreude darauf, die trüben Gedanken, die sie noch am Abend zuvor belasteten, vergessen zu dürfen.

❁

An diesem Morgen jedoch schafft sie es nicht. Sie hatte bis spät in die Nacht hinein zum einen an ihren Mann denken müssen, zum anderen eine Möglichkeit zu finden versucht, am heutigen Tag ihren Schülerinnen zu begegnen, um deren Schmerz und Ohnmacht etwas entgegenstellen zu können. Doch fühlt sie sich jetzt auf dem Weg in die Schule nicht weniger hilflos. Sie wird sich wohl auf ihren Instinkt verlassen müssen, der ihr immer ein treuer Gefährte gewesen ist, sie zwar häufig auf vermeintlich falsche Pfade geschickt, doch immer ans Ziel gebracht hat.

❁

Zu Beginn der Stunde gibt Umm Mohammed den Schülerinnen eine Aufgabe, welche sie problemlos bearbeiten. Noch immer ist ihr keine Idee gekommen, wie sie mit Chadas Situation angemessen umgehen kann, vielleicht gibt es sie gar nicht, die richtigen Worte, die Gleichung, die Geschichte, die den Schmerz der Mädchen lindern und ihre Wut zügeln könnten.

Sie muss tief geseufzt haben, denn Abir hebt nun den Kopf und sieht sie mit ihren klaren und klugen Augen an. Es sind vernünftige Mädchen, gewohnt, dem täglichen

Schrecken zu begegnen, und Umm Mohammed beschließt, ihnen lieber die Alltäglichkeit zu schenken, die heile Welt der Schule, die mit dem Läuten der Glocke am Morgen beginnt und mit dem Läuten der Glocke am Mittag endet.

Doch als sie die Klasse mit einem freundlichen Lächeln und der Ermahnung, die gestellte Hausaufgabe gewissenhaft zu bearbeiten, in die nächste Stunde entlässt, behält sie Chada und die Mädchen um Zina genau im Auge. Wirkt Chada nicht ein wenig verängstigt? Und beeilt sie sich nicht, schneller als gewöhnlich das Zimmer zu verlassen?

Aber erst gestern hat Umm Mohammed festgestellt, wie häufig die Wahrnehmung durch beherrschende Gedanken und Stimmungen getrübt werden kann, und sie beschließt, lieber abzuwarten, als sich mit unnötigen Sorgen zu plagen.

Während der Pausenhofaufsicht amüsieren sich Umm Mohammed und ihre Kollegin Umm Jamil über Nouma, eine Referendarin, die das Talent besitzt, die banalsten Geschichten gestenreich und voll hinreißender Komik zu erzählen. Mit ihren vierundzwanzig Jahren ist sie die Jüngste im Kollegium, und Umm Mohammed unterhält sich gern mit ihr, möchte erfahren, was die jungen Frauen denken, denn sie hofft, damit auch ihre Tochter Falastin besser verstehen zu können.

Doch Nouma ist anders. Für nichts in der Welt würde sie ihre Unabhängigkeit opfern, und zum Leidwesen ihrer

Eltern hat sie auch schon einige Heiratsanträge zurückgewiesen. Umm Mohammed erinnert sich, als sei es gestern gewesen, an jenen Tag, als sie Nouma und ihre Mutter auf dem Souk getroffen hatte und ihr die alte Dame mit leidenschaftlichen und weit ausholenden Gesten das Unglück beschrieb, welches Nouma mit ihrem Starrsinn in das Haus gebracht hatte. Dennoch blitzte es in ihren Augen, und Umm Mohammed konnte in ihnen den heimlichen Stolz auf Nouma entdecken, der aber nichts an der Tatsache änderte, dass eine Mutter ihre Tochter gern verheiratet sehen möchte.

Dass die Ehe nicht gleich Gefangenschaft bedeuten muss, will Nouma nicht glauben. Die traditionellen Strukturen sind ihr momentan zu dominant, denn in einem Land der Unsicherheiten gewinnt die Familie immer mehr an Bedeutung. Umm Mohammed weiß, dass diese Tatsache auch ausgenutzt wird, um Frauen in ihrer Freiheit zu beschneiden, denn noch heute brauchen viele die Erlaubnis ihres Ehemannes, bevor sie aus dem Haus gehen können, so dass die Eigenständigkeit ganz und gar abhanden kommt.

Aber ist nur den Männern die Schuld zuzuschreiben? Genießen viele der Frauen nicht auch den Umstand, dass ihre Welt klein und überschaubar und ohne große Überraschungen ist? Ist nicht jeder für sein Leben selbst verantwortlich, ob Mann oder Frau, ob verheiratet oder nicht?, fragt sich Umm Mohammed.

Erregt erörtern sie und Nouma dieses Thema, versuchen zu verstehen, was ihrem Wesen ganz fremd ist, und suchen nach der Wurzel, die sie lediglich ausreißen zu müssen glauben, um alle Frauen an einen Punkt führen zu können, der für die beiden die wahre Art zu leben bedeutet.

Im Eifer des Gesprächs merkt Umm Mohammed gar nicht, dass Umm Jamil sie angesprochen hat. Einige Mädchen ihrer Klasse hätten das Gelände verlassen, wiederholt diese. Umm Mohammed macht sich auf den Weg, befürchtet Schlimmes, weil ihr die Stimmung in der Klasse ohnedies schon so verdächtig vorgekommen war.

Als sie auf der Straße vor dem Schulgebäude steht, kann sie nichts und niemanden erkennen. Ihre Blicke schweifen suchend umher, vergeblich, bis sie auf das Gelände gegenüber der Schule geht, das wie viele andere Plätze Dschenins als Schuttablage missbraucht wird; allerdings kennt niemand die eigentliche Funktion des Geländes, so dass das Wort »Missbrauch« die Sache nicht wirklich trifft.

Hinter dem sich auftürmenden Schrott kann sie schon die aufgebrachten Stimmen der Mädchen vernehmen. Tochter eines Verräters, Schandfleck unseres Volkes, verdammt seien sie und ihre Familie, hört sie Zina lauthals schreien, deren sechzehnjähriger Bruder aufgrund eines Verrats nun tatsächlich zu sechzig Jahren Haft verurteilt wurde. Umm Mohammed beeilt sich weiterzukommen.

Maha und Sabah haben Chada fest im Griff, die von Zina erneut wüst beschimpft wird, sich aber nicht wehrt. Fast scheint sie erleichtert über die Gewalt der Mädchen zu sein, die sie ganz klar zu einer Täterin machen, als hätten die Tage des Zweifels über den vermeintlichen Verrat ihres Vaters sie so weit zermürbt, dass jede noch so grausame

Demütigung für sie angenehmer ist als die Last der möglichen Schuld.

Sie solle diesen Tag ihr Leben lang nicht vergessen, diesen Tag, an dem sie gelernt habe, was man in Palästina mit Verrätern mache. Es sind Drohungen, die die Mädchen sicherlich irgendwo auf der Straße aufgegriffen haben. Und nun ereifern sie sich, es den Erwachsenen gleichzutun.

Zina hält einen Schlammbrocken in der Hand, und im selben Moment, in dem Umm Mohammed dies bemerkt, hat sie schon voller Verachtung den Dreck in das Gesicht der zitternden Chada geworfen, während die anderen Mädchen angesichts dieser Demütigung, die schon längst nicht mehr nur Vergeltung, sondern die Demonstration von Stärke ist, johlend ihre Zustimmung geben.

Ob sie den Verstand verloren hätten, was sie da machen würden, schreit Umm Mohammed und fährt energisch dazwischen, reißt die Gruppe auseinander und veranlasst die Schülerinnen, Chada augenblicklich loszulassen, um sie schützend in die Arme zu nehmen und damit den Übrigen ihre Niederträchtigkeit vor Augen zu führen. Im Bannkreis von Umm Mohammeds strengem Blick stehen Maha, Sabah und Zina, die nun am liebsten vor Scham in den Boden versinken würden und sich nichts sehnlicher wünschen, als den Vorfall ungeschehen zu machen. Umm Mohammed wird ihr Verhalten bestrafen, nur weiß sie noch nicht genau wie, lediglich, dass es keine schnelle Erlösung für die Übeltäterinnen geben wird.

Noch immer hält die Lehrerin die drei fest in ihrem Blick, bis der Wind das Läuten der Schulglocke zu ihnen hinüberträgt. Unwillkürlich schauen die Mädchen zum Schulgebäude hinauf, so als erhofften sie, dass ihnen die Glocke ein Seil über die Straße werfe, um ihnen aus der Situation herauszuhelfen.

Sie werde ihren Vätern von dem Vorfall berichten müssen, und auch in der Schulkommission werde sie es zur Sprache bringen. Das sei vorerst alles, aber nach dem Unterricht hätten sich Maha, Zina und Sabah noch einmal bei ihr einzufinden; jetzt aber sollen sie in den Unterricht zurück, außer Chada, die Umm Mohammed noch immer in den Armen hält.

Sie würden ihr nichts mehr antun, dies sind Worte, die Umm Mohammed sagen könnte, die aber ins Leere führten, weil dem Mädchen bereits alles genommen wurde.

Sie erinnert sich an ihren Traum von dem alten Mann, der das Haus Gottes finden wollte. Sie erzählt ihn Chada, welche aber wissen will, warum die Dorfbewohner den Mann attackierten. Es habe nichts mit dem Mann zu tun gehabt, er habe nichts falsch gemacht, allein die Tatsache, dass er einen anderen Weg als den gewohnten einschlage, mache den Menschen Angst, und deshalb hätten sie ihn bestraft. Sie wolle Chada damit sagen, dass viele Menschen ihre Ängste, Wunden und Bedürfnisse nicht mit sich selbst ausmachen würden, sondern dafür andere, meist Schwächere oder Außenseiter, benutzten und missbrauchten. Viele Menschen, sogar schon ganze Völker, seien auf diese Weise zum Sündenbock erklärt und zum Teil auch umgebracht worden.

Ob diese Menschen sich nicht haben wehren können,

will Chada wissen, und Umm Mohammed erklärt, dass die meisten zwar sehr hilflos gewesen seien, doch sie hätten sich nicht unterkriegen lassen, hätten ihren Stolz, ihre Achtung zu bewahren versucht, und egal was ihnen angetan worden war, es hätte sie nur stärker gemacht. Die Menschen hätten gelernt zusammenzuhalten, um dem großen Gegner dank ihres Willens zu trotzen. Auch Chada sei als Palästinenserin Teil einer unterdrückten Gesellschaft, die sich jedoch beständig wehre; sie solle sich von unbedachten Mädchen, die nur in der Gruppe stark zu sein glauben, nicht einschüchtern lassen.

Während ihrer leidenschaftlichen Ausführungen ertappt sich Umm Mohammed dabei, dass sie eine Kampfesrede gehalten hat, und sie muss sich eingestehen, dass diese ihren Ursprung mehr in einem egoistischen Bedürfnis hat, die eigenen Überzeugungen mitzuteilen, als sich in die Situation des Mädchens zu versetzen, um angemessen zu reagieren.

Dennoch ist der Funke übergesprungen, denn Chada wirkt weit weniger verstört als noch vor wenigen Minuten. Sie solle jetzt nach Hause gehen, Umm Mohammed werde sie entschuldigen. Und mit den anderen werde sie sprechen, sie sei sich deren Einsicht und Reue sicher.

Am Nachmittag nach dem Schulunterricht steigt Umm Mohammed wie jeden Tag in den Wagen zu ihrem Mann, doch dieses Mal nicht, um die Heimfahrt anzutreten, sondern um nach Salem, zur Militärverwaltung, zu fahren. Während sie wartete, hatte sie überlegt, ob sie ihren Mann wegen des gestrigen Abends ansprechen sollte, nur musste sie dann an den Vorwurf ihrer Schwester denken, dass Umm Mohammed ihm ihre eigenen Versäumnisse vorwerfe, und schließlich auch an jene Worte, die sie zu Chada gesagt hatte. Sie entschied sich, ihren verflogenen Ärger über ihn und sein Verhalten nicht zu erwähnen, den Entschluss ihres Mannes, einen neuen Passierschein zu beantragen, hinzunehmen, hatte er doch nur Gutes damit im Sinne.

Ihr Weg führt sie an dem deutschen Kriegerdenkmal aus dem Ersten Weltkrieg vorbei und auf der Straße nach Haifa aus Dschenin heraus. Und obgleich diese schon lange nicht mehr nach Haifa führt, geschweige denn man sie als Straße bezeichnen kann, nennen die Leute sie noch immer so. Vielleicht weil Menschen die Erinnerung an vergangene und bessere Tage in Form von Namen, Geschichten und Fotografien festhalten und so die Vergangenheit im Heute für die Ewigkeit konservieren?

Es ist eine kerzengerade Strecke, die an Feldern, Äckern und kleinen Ortschaften vorbeiführt und ehemals den Norden des Westjordanlandes mit Israel verbunden hat, eine von Händlern und Arbeitern viel benutzte Route.

Heute jedoch endet die holprige Fahrt über den von den Kettenfahrzeugen der Armee aufgerissenen Asphalt an einem verschlossenen Tor in einem drei Meter hohen Zaun, der zusätzlich mit Stacheldraht gesichert ist. Über diesem Tor sind Überwachungskameras angebracht, welchen keine Bewegung verborgen bleiben soll. Dahinter erhebt sich die Militärverwaltung, die zugleich eine Kaserne ist und Salem genannt wird.

Gleich neben dem großen Tor befindet sich eine kleine Tür, vor welcher Palästinenser zu warten haben, bis sie von einem weit hinter dem Zaun lässig an einem Wachhaus lehnenden Soldaten herbeigewinkt werden. Die meisten Palästinenser erscheinen bereits in den frühen Morgenstunden, da sie oftmals mit langen Wartezeiten zu rechnen haben, nicht hier an der Tür, sondern drinnen, an den Schaltern, wo uniformierte Beamte hinter Panzerglas sitzen und sich über eine Gegensprechanlage die Anliegen der Palästinenser anhören.

Als Umm Mohammed und ihr Mann an dem Tor ankommen, sitzen Männer in ihren am Straßenrand geparkten Autos, andere im Windschatten eines Olivenbaums und beobachten bedrückt die Szenerie, die jeden erwartet, der hineinzugehen hat.

Sie reihen sich in die Schlange der Wartenden ein, und als der Soldat sieht, dass sich unter ihnen eine Frau befindet, winkt er das Ehepaar gleich zu sich, nicht weil er palästinensischen Frauen den Vortritt vor Männern gewährt, sondern weil er hierdurch Macht demonstriert, das tun zu können, was ihm beliebt.

Zehn Meter nach der Tür, in sicherem Abstand zu dem Soldaten, müssen sie stehen bleiben. Abu Mohammed hat die Jacke auszuziehen und sein Hemd zu lüften, um den nackten Bauch und die Brust zu zeigen. Unter der Kleidung könnte sich ein Sprengstoffgürtel befinden. Dann dürfen sie näher kommen. Als sie am Wachhaus in zwei Meter

Distanz dem Soldaten gegenüberstehen, zeigt er mit dem Lauf des Gewehrs auf ihre Handtasche und bedeutet Umm Mohammed damit, diese auszuleeren. Sie schüttet den gesamten Inhalt auf einen Tisch, um nach den prüfenden Blicken des Israeli wieder alles einzuräumen, ihm die Ausweise zu reichen, immer die zwei Meter Abstand wahrend. Wie ihr Name sei, was sie von Beruf sei, wo sie wohne, wie ihre Eltern hießen, ob das ihr Mann sei, wie viele Kinder sie habe und was sie hier wolle. Alles auf Hebräisch. Da Umm Mohammed aber diese Sprache nicht versteht, antwortet ihr Mann für sie, während der Soldat beide von unten bis oben mustert, schließlich kurz sagt, dass sie gehen könnten, um sich dann zurück zum Wachhaus zu begeben, wo er sich eine Zigarette anzündet, sich wieder lässig an die Wand lehnt und amüsiert die anderen Wartenden beobachtet.

Ein geteerter Weg führt an einem Geländer entlang eine Anhöhe hinauf und mündet an einem Tor zu einem meterhoch umzäunten Areal. Dort befinden sich die Schalter; und hier soll sich Umm Mohammeds Schicksal entscheiden. Von den sechs Schaltern sind nur zwei besetzt, und die Beamten sind meist junge Soldatinnen und Soldaten.

Ausschließlich Männer stehen dort, manche mit Papieren in der Hand, die sie durch einen kleinen Schlitz am unteren Ende der Panzerglasscheibe schieben; doch scheinen selten alle Dokumente beisammen zu sein. Dann ertönt in den rauschenden Lautsprechern die Stimme eines israelischen Beamten, der viele der Antragsteller wegschickt. Zuweilen erscheint es, als ob diese Schalter die Pforten zur Normalität, zum alltäglichen Leben und Überleben darstellen, weil die Beamten Zulassungen für Taxis oder Transportfahrzeuge und Passierscheine bewilligen und ausgeben. Doch viele, die hier stehen, bleiben ohne Erfolg, warten umsonst.

Abu Mohammed stellt sich an, drängt mit seinem großen und massigen Körper nach vorne, weil es alle so machen und auch er drankommen möchte, obwohl er noch nicht allzu lange wartet. Seine Frau steht etwas abseits und beobachtet seine Versuche, an den Schalter heranzukommen, was ihm schließlich gelingt, nachdem der Mann vor ihm abgewiesen wurde. An der Scheibe angelangt, beginnt er zu sprechen, bemüht, in bestem Hebräisch sein Anliegen vorzutragen, blickt dabei aber nur in das verständnislose Gesicht eines Soldaten, der mit den Achseln zuckt. Sein Finger deutet auf die Gegensprechanlage, in die Abu Mohammed hineinzusprechen hat, wenn er will, dass man sich seiner annimmt.

Er muss sich weit herunterbeugen, da die kleine graue Box lediglich bis zu seiner Hüfte reicht. Er erzählt dem Mann, weshalb er hier sei, ohne aber mit seinem nach vorne herunterhängenden Kopf und dem Gesicht nahe am Mikrofon den Blick von dem Beamten abzuwenden, was seiner Frau ein leichtes Schmunzeln abringt. Auf die Aufforderung, dem Beamten die Papiere seiner Frau zu geben, schiebt Abu Mohammed den Ausweis durch den Schlitz dem Israeli zu, welcher einige Augenblicke in den Computer schaut, den Ausweis wieder zuschlägt und zurückgibt.

Er sagt, dass laut Eintragung seine Frau bereits einen Tasrih erhalten habe, und fragt, wo dieser denn sei.

Sie habe ihn nicht bekommen, er wisse nicht, warum, erwidert Abu Mohammed. Wieder ein Blick in den Computer, nein, das könne nicht sein, man habe seiner Frau den Tasrih zugestellt, ganz sicher, so sei das hier vermerkt. Er solle ihm doch glauben, so ein Versehen könne doch vorkommen. Der Soldat scheint verwirrt, gibt Abu Mohammed zu verstehen, dass er zehn Minuten warten solle, er würde kurz mit seinem Vorgesetzten sprechen.

Umm Mohammed sitzt abseits auf einer Bank, die vor den Schaltern aufgestellt wurde, als ihr Mann zu ihr stößt. Nach zehn Minuten sucht er wieder den Soldaten auf. Ob er etwas in Erfahrung gebracht habe, fragt er. Doch der Beamte schüttelt den Kopf, nein, sein Vorgesetzter sei schon gegangen, und im Übrigen glaube er nicht, dass seine Frau den Passierschein nicht erhalten habe, so als ob die Unfehlbarkeit seines Datenspeichers eine heilige Tatsache und jeglicher Zweifel Ketzerei wäre. Er könne es aber morgen noch einmal probieren, wenn er wolle.

Tagebuchnotiz

Ich lebe in einem Land der Geister. Fährt man unwissend durch Palästina oder Israel, vermag man dies nicht wahrzunehmen.

Doch je länger man bleibt, je mehr Menschen und ihre Geschichten man kennen gelernt hat, desto klarere Konturen nimmt dieses stumme Land in den Beschreibungen der letzten Zeugen an. Die ehemaligen Bewohner von Dörfern, deren Namen von der Karte verschwunden sind oder die in Straßenbezeichnungen ihren kümmerlichen Rest Existenz fristen, halten die Erinnerung an diese zerstörten Orte lebendig. Ein Maisfeld wird in ihren Erzählungen zum Wohnzimmer, in dem die Beschneidung des ersten Sohnes gefeiert wurde. Der einzelne Baum, der inmitten der Landschaft so unbeholfen und verloren wirkt, war einst der Mittelpunkt einer Familie, die sich in seinem Schatten ausgeruht, sich an seiner Beständigkeit festgehalten, seiner Krone geheime Wünsche und Gedanken gebeichtet und von seinen Früchten gekostet hat.

Jetzt steht er einsam, mahnender Zeuge eines Lebens, das man ihm genommen hat, und trauriger Zeuge dessen, was daraus geworden ist: Mähfahrzeuge durchwalzen das, was einmal die Küche, das lachende Herz des Hauses gewesen ist, drücken die kleinen, liebevoll gearbeiteten Decken und Dekorationen des Wohnzimmers tiefer in die Erde, und er selbst, der Baum, wird nur noch gebraucht, wenn ein müder Siedler Schutz vor der Sonne sucht.

Ich erinnere mich, als Kind auf die Frage nach meiner Herkunft immer mit »aus Um Al-Fahim« geantwortet zu haben, obwohl ich die Stadt meiner Ahnen erst viel später zu Gesicht bekam.
Unsere Eltern und Großeltern wurden nicht müde, von ihr zu sprechen, so dass wir die Geschichten in uns aufnahmen, unsere Träume aus ihnen nährten, unsere Identität in ihnen suchten. Meine Großmutter antwortete auf die Klagen meiner Mutter, ihre Kinder seien allesamt ein Haufen Wilder, immer mit einem Lächeln, wir aus Um Al-Fahim seien eben so, und ihre Worte ließen mich nur umso übermütiger werden, weil ich nichts auf der Welt mehr wollte, als ein wirklicher Teil von diesem gelobten Dorf zu sein.
Ich erzählte anderen Kindern, am Feiertag in den Gärten meiner Vorfahren gewesen zu sein, von den süßen Aprikosen gekostet, auf den majestätischen Mandelbäumen den warmen Wind genossen zu haben.
Doch als ich vierzehn Jahre alt war, wurde mir die Heimat genommen: Unser Dorf war nicht, wie ich immer vermutet hatte, zerstört worden. Um Al-Fahim steht im heutigen Israel, bewohnt von Palästinensern! Ich glaube, die Mutlosigkeit meiner Familie, die sich nicht den Truppen entgegengestellt und nicht für

ihren Grund und Boden gekämpft hatte, verdunkelte das heldenhafte Bild, das ich mir damals von meinen Ahnen machte.

Natürlich wusste ich aus Erzählungen und aus dem Unterricht, dass der Boden vieler ehemaliger Dörfer mit dem Blut der Palästinenser getränkt ist, dass die Übermacht der israelischen Truppen gewaltig war. Aber trotzdem, andere hatten es geschafft, und deren Kinder wurden nicht nur im Traum zwischen üppigen Obstbäumen und stattlichen Feldern erwachsen. Diese Kinder mussten sich ihre Identität nicht aus unzähligen Geschichten zusammenflicken, als wäre sie eine alte Decke. Sie wuchsen nicht mit dem Schmerz ihrer Großeltern auf, das geliebte Land, das Erbe ihrer Väter verloren zu haben. Stattdessen hatten sie etwas, das ihnen gehörte, auf das sie stolz sein konnten, das ihnen Sicherheit für sich selbst und später für ihre Kinder gab.

In den letzten Tagen habe ich immer wieder daran gedacht. Ich verstehe noch den Zorn des Kindes, das ab diesem Zeitpunkt den Namen Um Al-Fahim nicht mehr hören konnte, das in seinen Eltern mitunter Abtrünnige sah, die es um sein Leben, sein Erbe betrogen hatten.

Doch es war eine vernünftige Entscheidung gewesen. Viele Dörfer waren zerstört, viele Menschen getötet worden, und die, die überlebten, hatten meist nur das Nötigste retten können. Sie kamen in Flüchtlingslagern unter und haben es oft erst in meiner Genera-

tion geschafft, sich wieder etwas aufzubauen, kleine Häuser zu errichten.

Meine Familie kam nach Dschenin und konnte sich ein Haus im Zentrum der Stadt kaufen und einen Laden eröffnen. Wenn man mich heute fragt, woher ich komme, antworte ich ohne zu zögern »Dschenin«, und auf die Frage, wo ich zu Hause bin, »Um Al-Rihan«.

Und trotzdem habe ich meine lang gesuchte Heimat aufs Spiel gesetzt, habe mich verhalten wie das kleine Mädchen, das ihren Freunden Lügen erzählte, weil es die Wahrheit nicht akzeptieren konnte, und diese erst begriff, als es schmerzhaft darauf hingewiesen wurde.

Nicht mehr nach Hause zu dürfen ist die härteste Strafe meines Lebens. Am Anfang habe ich noch darüber gelächelt, voller Zuversicht, mich in einer Phase des Übergangs zu befinden. Aber es ist jetzt eine Woche vergangen, und ehrlich gesagt glaube ich nicht mehr, diesen verdammten Tasrih überhaupt noch zu bekommen. Ohne meinen Mann hätte ich vielleicht schon aufgegeben, des täglichen Bettelgangs müde geworden.

Er hat mir die Dummheit schon in dem Moment verziehen, als ich den Zettel unserer Gefangenschaft zerrissen habe, weil es mein Temperament und mein Mut sind, die er liebt, und ich muss jeden Tag mit mir

kämpfen, dieses nicht als Schwäche, sondern als Stärke zu sehen.
Ist es nicht das Wesen der Liebe, sich an der Verschiedenheit des Partners zu entzünden und aufzulodern, um schließlich gemeinsam eine stille Glut der Geborgenheit, des Füreinanders aufrechtzuerhalten?

Die Dunkelheit legt sich wie eine wohlige Decke um das Haus. Dunkelheit, die meinem Körper Ruhe schenken sollte, aber der sich mein Geist noch lange entzieht. Aufhören zu denken bedeutet, sich fallen zu lassen in der Hoffnung, sanft aufgefangen zu werden. Doch wie kann ich das, wo jeder Tag schwärzer erscheint, weil sich nichts ändert, weil sich einer über den anderen legt wie eine Schablone und das anfängliche Grün der Zuversicht nicht mehr zu erkennen ist?
Meine Schlaflosigkeit quält mich. Sie ist Spielball der nicht enden wollenden Gedanken, die sich, von ihrem Gegenstand gelöst, im wilden Tanz der Spekulationen tummeln.
Ich hoffe, der Schlaflosigkeit mit diesen Aufzeichnungen etwas entgegenstellen zu können, denn dieser tägliche Kampf hat begonnen, nach meinem Tag zu greifen: Ich fürchte mich vor dem Zeitpunkt, da ich das Schlafzimmer betreten muss.
Aber es sind nicht nur die Gedanken, die mich wach halten. An manchen Tagen sind wir fünf, die auf

engstem Raum zusammen schlafen. Die kleine Jaffa ganz ruhig und selig, aber Fida'a reißt ein böser Traum jede Nacht laut schreiend aus dem Schlaf und erfüllt Malak und mich mit großer Sorge.

Malak hat ihn mir erklärt, den Traum, der vielmehr eine Erinnerung, ein traumatisches Erlebnis ist.

Die Mädchen waren mit anderen Studenten auf dem Weg nach Nablus. Um nicht an den Checkpoints unnötig Zeit zu verlieren, beschlossen sie, wie so oft, Umwege zu gehen. Eine ganze Schar Menschen machte sich so auf den beschwerlichen Weg über Anhöhen und durch Olivenhaine.

Plötzlich tauchte in der Ferne ein Militärfahrzeug auf, und alle rannten panisch los, um sich in einem Olivenhain zu verstecken, denn bei einer Kontrolle wären sie den Soldaten völlig ausgeliefert, die andere Palästinenser bei solchen Gelegenheiten schon verhaftet hatten.

Fida'a war mit einigen der jungen Männer den Hain nach oben gerannt, denn sie war schneller als die anderen Frauen. Als sie glaubte, ein gutes Versteck gefunden zu haben, kauerte sie sich nieder und befahl ihrem Herz, sich zu beruhigen, aus Angst, entdeckt zu werden.

Sie begann die ersten Rufe auf Hebräisch zu hören, und immer noch knackten Zweige, waren einige Soldaten auf der Suche nach Versteckten. Die Schreie kamen näher, und sie hörte das Keuchen eines Mannes, glaubte, seine Angst riechen zu können, und sie

kauerte sich nur noch tiefer, zwang sich, auch den Atem auszusetzen.
Es war Majdi, der schließlich in ihr Blickfeld gelaufen kam. Majdi, der in ihrer Nachbarschaft aufgewachsen war, bei dessen Vater sie als Kinder alle eisern gesparten Münzen in Süßigkeiten umgesetzt hatten. Majdi, der Geschichte studierte und über den Fida'a immer gespottet hatte, er sähe genau so aus wie seine alten Bücher, ganz grau und verstaubt.
Die Schreie waren so nah, dass Fida'a glaubte, sie würden ihren Schädel sprengen, und sie betete, Majdi würde stehen bleiben, sich stellen und nicht weiterrennen.
Dann fielen Schüsse, zweimal, und Majdi strauchelte, stolperte seine letzten Schritte und fiel mit einem dumpfen Schlag, den Fida'a nicht vergessen kann, der sie Nacht für Nacht heimsucht. Es ist der Aufschlag von Majdis Körper auf dem harten Boden des Hains, tot, nur wenige Meter neben ihr.
Malak erzählt, dass Fida'a hysterisch geschrien und geweint habe und die Soldaten in blindem Schmerz zu attackieren versuchte, so dass diese schließlich, erschrocken über das Unheil, das sie angerichtet hatten, das Weite suchten.
Die erste Zeit war Fida'a unfähig gewesen, nach draußen zu gehen. Sie hatte sich in ihr Zimmer eingeschlossen und sich dem Schrecken, eingebrannt in ihre Gedanken, immer und immer wieder ausgesetzt. Bei jedem Knall, ob harmlose Salven oder zerplatzen-

de Reifen, war sie zu Tode erschrocken und nur mit Mühe wieder zu beruhigen.
Es muss ihre Mutter viel Kraft und Geduld gekostet haben, Fida'a so weit zu bringen, wieder die Universität zu besuchen.
Obwohl ich in Dschenin arbeite und meine Schwester immer wieder treffe, hat sie mir nie von diesem Vorfall erzählt. Glaubt sie wie so viele, dass unsere Traurigkeit weniger wird, wenn man nicht darüber spricht? Als wären solche Geschichten ansteckend und könnten nach oben steigen, um als Giftwolke die ganze Stadt heimzusuchen.
Und dann komm ich, ihre große Schwester, begehre Unterschlupf, weil ich in einem Anflug kindlichen Trotzes den Tasrih zerrissen und damit mein eigentliches Zuhause verwirkt habe.
Ich jammere über die Ungerechtigkeiten meines Lebens und der Umstände, die es so schwer machen, während Fida'a ihr früheres Leben vielleicht nie wieder bekommen wird. Sie war ein so süßes Kind gewesen. Bildhübsch, klug und wendig wie ein Fuchs. Manchmal habe ich Umm Asem um Fida'a beneidet. Vor allem, wenn ich sie direkt mit Falastin verglichen habe, die am liebsten alleine und in ihre Welt versunken mit einer Puppe spielte und der nichts eine größere Freude bereiten konnte als essen.
Jetzt sehe ich eine gebrochene junge Frau von einundzwanzig Jahren vor mir, die es schwer haben wird, in diesem harten Leben einen Platz zu finden. So klug

und hübsch sie auch ist, sie wird schwerlich einen Mann finden, der die Geduld und Stärke hat, ihren Schatten mitzuheiraten und ihn genauso zu lieben, weil anders ihre Ehe keine Chance hätte.

Hier in der Abgeschiedenheit beginne ich zu begreifen, dass ich mein Leben zwar selbständig meistern kann, aber ohne meine Kinder nichts bin. In mir hat sich eine Leere aufgetan, die ich nicht durch Isra'as Geplapper, durch Falastins tiefgründige Augen und ihre schwere Sanftheit füllen kann. Nicht durch die kostbaren Momente, in denen ich zu Usama finde und wir die wunderbarsten Gespräche führen, die es zwischen zwei Menschen geben kann. In ihnen kann alles passieren, und während wir ein Wunder hinter den banalsten Dingen zu entdecken vermögen, bewundere ich seine klaren, klugen und feinfühligen Gedanken und freue mich über den Schatz, den er in ihnen gefunden hat.

Vielleicht mag Mohammed nach außen der Glücklichere sein, mit seiner gewinnenden Art und seiner Fröhlichkeit. Aber Usama trägt mit dieser Gabe etwas in sich, das ihm von außen nicht genommen werden kann.

Vielleicht werden sie mir helfen, diese geistigen Ausflüge zu meinen Kindern, um heute Nacht vielleicht in einen frühen und erholsamen Schlaf zu fallen.

7

Müde und abgespannt geht sie an der großen Moschee vorbei, überquert eine Straße, deren nachmittägliche Betriebsamkeit sie verwundert. Eigentlich sollte der Verkehrsstrom gegen zwei Uhr nach und nach verebben, da viele der Geschäfte um diese Zeit schließen. Die täglich wiedergeborene Hoffnung der Händler ist nun im Begriff, erneut zu sterben.

Aber niemand gibt auf, denn morgens, wenn das Licht die Dunkelheit durchbricht, erwachen die Menschen mit neuem Lebensmut, mit der Aussicht auf einen besseren Tag, als es der gestrige war. Doch woher nehmen sie die Kraft? Wovon zehrt dieser Mann, der in der Eintönigkeit seiner Wechselstube verharrt und deprimiert aus dem Fenster starrt? Oder dieser Junge, der immer nach Unterrichtsschluss mit einem Karton, in dem sich allerlei Süßigkeiten befinden, durch die Innenstadt geht und seine Waren anpreist, um Geld zu verdienen, weil der Vater arbeitslos ist und deshalb auch sein Sohn für den Lebensunterhalt der Familie sorgen muss.

Ist es die Aussicht auf eine bessere Zukunft, die all diesen Menschen Kraft gibt? Ist es die Perspektive, irgendwann einmal dem Leben in dieser Stadt und diesem Land am Ende der Welt entkommen zu können? Nein, gewiss nicht, doch es treibt sie der Rhythmus des Lebens, und es umarmen sie die Eltern, Brüder, Schwestern, Söhne, Töchter und Freunde, geben ihnen Halt und die Kraft, weiterzumachen, auch wenn der tägliche Kampf noch so aussichtslos erscheinen mag.

Bei diesen Gedanken erinnert sich Umm Mohammed an eine Äußerung ihrer Großmutter. Wenn der Schmerz einen überwältige und man sich wünsche, ewige Nacht möge sich auf die Welt senken, pflegte sie zu sagen, dann solle man an das schimmernde Grün nach dem Regen denken, an das Erwachen eines Kindes und dessen Blick in die Welt.

Nun steht sie wieder am Treffpunkt vor einem Café in der Innenstadt Dschenins und wartet in dem noch immer geschäftigen Treiben auf Abu Mohammed.

Der erste Anlauf, einen neuen Passierschein zu beantragen, liegt mehr als eine Woche zurück, und seither waren sie und ihr Mann jeden Tag nach der Schule aufgebrochen, um nach Salem zu fahren und dort zu warten. Erst standen sie unten, vor dem Einlass im Zaun, dann oben, inmitten der Menschen vor den Schaltern, um immer wieder von neuem ihr Problem vorzutragen, jedes Mal einem anderen israelischen Beamten, und alle spulten die gleiche Antwort herunter, dass laut Computer Umm

Mohammed den Tasrih erhalten habe und ein Irrtum ausgeschlossen sei.

Aber ihr Mann ließ sich nicht beirren, blieb vor den hinter Panzerglas sitzenden Soldatinnen und Soldaten stehen, wollte sich nicht abweisen lassen, ohne aber den Unmut der Israelis auf sich zu ziehen, da er seine Stimme nie erhob, sondern sanft um Hilfe für seine Frau bat.

Er schilderte Umm Mohammeds Situation, sagte, dass sie ihre vier Kinder seit mehr als einer Woche nicht gesehen habe, sie nach Hause wolle, sich wie eine Ausgestoßene fühle, festgekettet am Irrtum der Behörden. Und immer, wenn Umm Mohammed seine Ausführungen hörte, die erfolgreich Mitgefühl weckten, dachte sie, dass er und sie unaufrichtig seien, aber niemand außer ihnen wisse es. Wenn sie ihm weiter zuhöre, die erfundene Geschichte noch mehr verinnerliche, würde sich die Wahrheit aus dem Staub machen, sich vor der Lüge zurückziehen, und sie wisse selbst schon nicht mehr, was in Wirklichkeit passiert sei.

Aber die Bemühungen ihres Mannes endeten stets erfolglos, obgleich die Beamten sich seiner annahmen, bei ihren Kollegen nach Rat suchten, zu ihren Vorgesetzten eilten, die oftmals nicht anwesend waren, und wenn doch, gab es dennoch keine Aussicht auf einen neuen Tasrih, da es den Sachbearbeitern nicht gelang, ihre Vorgesetzten von jenem Irrtum zu überzeugen, der ihnen selbst anfangs ausgeschlossen erschien.

Schließlich teilte man ihnen mit, dass sie ein schriftliches Dokument erbringen sollten, welches bestätigte, dass Umm Mohammed keinen Passierschein erhalten habe. »Aber von wem?«, fragte Abu Mohammed. »Von der palästinensischen Administration«, antwortete man ihm.

Und nun, nachdem Umm Mohammed auch das versucht hatte, steht sie noch immer mit leeren Händen am Straßenrand und wartet auf ihren Mann. Die palästinensischen Beamten hatten ihr mitgeteilt, dass sie solch ein Papier, wie Umm Mohammed es verlange, nicht ausstellen könnten, weil es seit dem Ausbruch der zweiten Intifada zwischen ihnen und der israelischen Militärverwaltung keinen Austausch gebe, insbesondere nicht in Fragen des so genannten Sicherheitszauns.

Umm Mohammed will nicht mehr, sie ist müde, sie würde sich gern hinsetzen, kann es aber nicht, weil sie unruhig und rastlos ist. Wo soll sie sich auch schon ausruhen? Nirgendwo hat sie das Gefühl, zu Hause zu sein, wo sie sich zurücklehnen und gedankenleer aus- und einatmen könnte. Jeder Tag endet bei ihrer Schwester. Sie ist Umm Asem dankbar, dass sie in ihrem Haus unterkommen kann. Deren Töchter Jaffa und Itab ist sie dankbar, dass sie sie bereitwillig in ihrem Zimmer schlafen lassen. Und Abu Asem ist sie dankbar, dass er seine Schwägerin wie ein Mitglied seiner eigenen Familie behandelt und ihr zu keinem Zeitpunkt das Gefühl vermittelt, dass sie nur ein Gast ist. Aber dennoch fühlt sie sich wie ein störender Fremdkörper, ein Stachel, der sich in die Haut von Umm Asems heiler Alltäglichkeit bohrt, weil sie glaubt, deren Familie Umstände zu bereiten.

Es ist bereits halb drei, und ihr Mann ist noch immer

nicht aufgetaucht. Ungewöhnlich, da er in den letzten Tagen, trotz seiner notorischen Unpünktlichkeit, immer zum verabredeten Zeitpunkt erschienen war. Der Weg von seiner Schule in die Innenstadt nimmt lediglich fünf Minuten Fahrzeit in Anspruch, er hätte schon lange da sein müssen. Womöglich aber ist er von einem Kollegen oder Schüler aufgehalten worden. Umm Mohammed setzt sich nun doch auf die Bordsteinkante und kehrt zu ihrem Gedankenstrom zurück.

Usama hätte heute Vormittag seine Examensprüfungen. Ob er wohl rechtzeitig nach Toubas an die Universität gekommen ist? Hat er überhaupt genug gelernt? Gerade er, der sich immer von seinen abschweifenden Gedanken verführen lässt und deshalb sein Studium vernachlässigt.

Und wie ergeht es Isra'a? Ob sie im Haus zurechtkommt und nicht ständig in ihrem Zimmer sitzt, um laut Musik zu hören und dabei zu singen? Wie sehr Umm Mohammed diesen wenn auch manchmal nervtötenden Gesang vermisst.

Und Falastin, die Folgsame, welche ihrer Mutter in allem eine große Hilfe ist, dabei aber immer ein neidvoll schielendes Auge auf ihre junge Schwester hat, weil sie glaubt, dass Isra'a alles mit Leichtigkeit zufalle, darüber jedoch völlig vergisst, dass sie ebenfalls mit kostbaren Gaben gesegnet ist: Intelligenz, Gesundheit und Warmherzigkeit. Falastin, die sie nach ihrer Heimat benannt hat, ist von Selbstzweifeln zernagt, das unsicherste ihrer Kinder, so wie Palästina, das Land ihrer Ahnen.

Sie versucht sich Mut zuzusprechen, vielleicht klappt es

heute. Wenn ihr Mann doch nur auftauchen würde! Die Gedanken und Sorgen um ihre Kinder fressen sie auf, und in einer Frau, die ihren Jungen hinter sich herzieht, sieht sie das Abbild ihrer selbst vor sich auf der Straße. Wie es winkt, ihr voll Hohn ins Gesicht lacht und ihr damit erbarmungslos vor Augen führt, dass ihr Leben an ihr vorbeilaufen werde. Denn ohne den Tasrih verschließt sich ihr das Vertraute und Geliebte, ohne den Tasrih wird es für sie keine Beständigkeit mehr geben, keine Familie, kein Heim, keine Identität, kein Sein – eine im Nirgendwo verlorene Existenz. Wie gern würde sie all die Schuld den Besatzern aufladen, weil sie es sind, die diese Mauer bauen, weil sie es sind, die sie wegen des Passierscheins aus dem Leben verbannen, weil sie es sind, die die Seelen töten und damit die Herzen der Menschen verhärten.

Aber Widerstand ist nicht nur Gewalt und Auflehnung, sondern auch der Wille, trotz der immer wiederkehrenden Schikanen, Demütigungen und Repressalien hier zu leben, ihnen zum Trotz all die Hürden zu nehmen und die Herausforderungen zu bestehen, wie weit die Besatzer es auch treiben mögen. Denn all die Kleinigkeiten und scheinbar banalen Dinge ergeben zusammengenommen das große Ganze. Es ist der Kampf der leisen Mittel, und sie denkt, dass gegen eine Übermacht wie die der Israelis nur dieser von Dauer sein kann, nur dieser die Früchte des Sieges tragen können wird.

Es ist schon weit nach drei, und ihr Mann ist noch immer nicht aufgetaucht. Selbst wenn er in den nächsten Minuten erschiene, würden sie es nicht mehr schaffen, da

Salem um vier Uhr schließt. Sie weiß nicht, was sie machen soll, steht auf, blickt die Straße hinunter, aber der Toyota ist weit und breit nicht zu sehen. Den aufkommenden Ärger versucht sie dadurch zu unterdrücken, dass sie sich sagt, dass Abu Mohammed sicher einen triftigen Grund haben werde. Sie beschließt, weiter zu warten. Eine frische Brise weht ihr ins Gesicht, und sie lässt sich wieder auf dem Bordstein nieder, hält ihre Nase in die Luft und schließt für einen Moment die Augen, weil dieser Geruch sie wie so oft in den letzten Tagen in ihre Kindheit trägt, eine Erfahrung in ihr lebendig werden lässt, die so viel mit ihrem jetzigen Gefühl der Hilflosigkeit gemeinsam hat.

Als sie etwa dreizehn Jahre alt war, fuhr die gesamte Familie an den Strand in Akka. In ihrer Erinnerung waren dies mitunter die schönsten Tage ihres Lebens gewesen, denn wenn sie an die Unbeschwertheit ihrer Kindheit, die Geborgenheit der Familie und die Schönheit des Meeres denkt, steigt in ihr ein wohliges Gefühl der Sehnsucht auf, das aber auch eine traurige Seite hat, weil sie weiß, dass solch ein Glück nie wiederkommen wird.

Sie hatte so lange gebettelt, bis der Vater sie in eines der kleinen Holzboote setzte, mit welchen schon ihre Brüder unter viel Geschrei das Meer und die Küste unsicher gemacht hatten. Der Vater ermahnte sie, nicht übermütig zu werden, und sie paddelte sodann voller Stolz das Boot in das weite Meer hinaus, während unweit von ihr, in einem anderen Boot, ihre Brüder johlten, weil sie sich als Eroberer der Weltmeere fühlten. Sie bot dem Wind die Stirn, welcher die warnenden Rufe der Familie am Strand in die entgegengesetzte Richtung trug.

Plötzlich bemerkte sie, dass das Boot dem Diktat der Paddel nicht mehr gehorchen wollte, denn die Strömung hatte eigene Vorstellungen, wenngleich sie diese noch nicht mit aller Kraft demonstrierte.

Sie begann unruhig zu werden und bot alles auf, um guten Mutes zu sein, trug dabei aber nicht einen Funken ihrer Panik nach außen und nahm den Kampf gegen das Meer auf sich. Dass sie es letztendlich zurück an den Strand geschafft hatte, kam ihr lange wie ein Wunder vor. Sie fühlte sich stark und unbezwingbar, bis sie später viele schmerzvolle Erfahrungen machte und verstehen musste, dass sie trotz allem nicht allmächtig, trotz allem nur ein kleines Mädchen war.

Am Strand wurde sie gescholten, man habe sie doch vor den Strömungen gewarnt. Was, wenn sie von einer erfasst worden wäre? Schuldbewusst schwieg sie.

Aber noch lange danach wachte sie nachts von Albträumen geplagt auf: Sie schipperte auf einem Fluss, und die Strömung trieb sie auf einen Wasserfall zu, dessen gewaltige Kraft sie schon von weitem spüren konnte, während sie freudig lachend ihrer Familie am Ufer zuwinkte, sich nicht anmerken ließ, dass sie im Begriff war, auf ihren eigenen Untergang zuzusteuern.

Oftmals hatte sich Umm Mohammed in den letzten Tagen wie in diesem Traum gefühlt. Nach außen war sie die gleiche Lehrerin wie noch vor wenigen Wochen, so dass die Schülerinnen ihr mit Respekt begegneten und ihren Ausführungen aufmerksam folgten. Doch unter der schulischen Oberfläche hatte sie den Einfluss auf die Mädchen verloren. Die Anfeindungen gegen Chada waren nach kurzer Zeit wieder aufgeflammt, zwar nicht so heftig wie zuvor, dafür aber hatte sich die Zahl der Schülerinnen erhöht, die sich hinter Zina stellten und die glaubten, das Unrecht, das Tarek widerfahren sei, rächen zu müssen. So zuckte Chada schon zusammen, wenn ein Stuhl ruckartig nach hinten geschoben wurde, zitterte ihre Stimme, wenn sie aufgerufen wurde, weil jede Antwort von den demütigenden Blicken ihrer Mitschülerinnen begleitet wurde.

Mädchen tragen ihre Kriege nicht mit Fäusten, sondern mit vielen kleinen Sticheleien und Intrigen aus. Was hatte Umm Mohammed schon in der Hand, um Strafen erteilen zu können? Sollte sie als Begründung anführen, sie hätten Chada böse Blicke zugeworfen oder die Rempeleien seien nicht, wie die Mädchen behaupteten, versehentlich passiert?

Auch die zahlreichen Gespräche mit Chada zeigten immer weniger Wirkung, denn sie erfuhr, dass die Mädchen in ihrem Unterricht noch verhältnismäßig harmlos waren. Besonders aber im Sportunterricht hatten sie noch ganz andere Methoden der Schikane gefunden, und alle Strafen hatten sie nicht bremsen können.

Also beschloss Umm Mohammed, andere Wege zu gehen, und widmet nun einen Teil ihres Volkskundeunterrichts dem menschlichen Miteinander. Jeden Abend sucht sie jetzt nach lehrreichen Geschichten, die sie vorlesen und erzählen kann, nach Suren aus dem Koran, nach Gleichnissen aus dem Alten Testament.

Doch bislang hat sich noch keine Entspannung der Situation eingestellt, und manchmal hofft Umm Mohammed sogar darauf, dass ein neuer Kollaborateur gefunden werden möge, um den Zorn von Chada und ihrer Familie abzulenken. Doch im selben Moment, in dem Umm Mohammed ein derartiger Gedanke kommt, schämt sie sich dafür, weil sie niemandem solch ein Schicksal wünschen sollte.

Vielleicht wird es das Beste sein, wenn sie sich mit dem Schuldirektor berät, um für Chada eine neue Schule zu finden. Sie kann dem Mädchen ansehen, dass es diesem Druck nicht mehr lange wird standhalten können.

Die Abenddämmerung ist bereits hereingebrochen, und von ihrem Mann ist noch immer nichts zu sehen. Sie macht sich nun ernsthaft Sorgen, geht in das Café hinein, vor welchem sie die ganze Zeit gewartet hat, und bittet einen der Kellner, das Telefon benutzen zu dürfen.

Ja, Abu Mohammed habe angerufen, er sei aus Um Al-Rihan nicht herausgekommen, teilt Umm Asem ihrer besorgten Schwester mit, und sie habe auch ihren Sohn nach ihr geschickt, doch der habe sie nicht finden können. Warum, was geschehen sei, fragt Umm Mohammed, aber ihre

Schwester weiß es nicht. Abu Mohammed versuche noch immer, den Checkpoint zu passieren, sie solle einfach hierher kommen, um auf ihn zu warten.

Als Umm Mohammed auflegt, schießt ihr durch den Kopf, dass sie noch etwas ganz anderes erledigen will, bevor sie zu ihrer Schwester geht. Sie möchte ohnehin nicht jetzt schon bei ihnen hineinplatzen und den Schmerz über den selbstverschuldeten Ausschluss aus ihrer eigenen Familie zumindest für kurze Zeit verdrängen.

Bei den Eltern ihrer Schülerin Nadja vorbeizuschauen hatte sie sich die letzten Tage schon oft genug vorgenommen, doch die Fahrten nach Salem wegen des Tasrihs waren wichtiger gewesen.

Nadja war jetzt zwei Wochen nicht zum Unterricht erschienen. Zu lange, um eine Krankheit anzunehmen, aber nicht lange genug, um den Anschluss an ihre Kameradinnen verloren zu haben. Sie war immer eine gute Schülerin gewesen, nicht herausragend, aber ein späteres Studium lag durchaus im Bereich des Möglichen.

Auf Umm Mohammeds Klopfen hin öffnet Nadjas Vater Abu Karim die Tür und bittet sie höflich herein. Es ist eine kleine Wohnung in einem Hochhaus unweit des Flüchtlingslagers, gleich beim jordanischen Krankenhaus. Das Wohnzimmer, in welches Umm Mohammed geführt wird, ist einfach eingerichtet, ein Sofa, zwei Sessel, ein Tisch, an den Wänden Bilder vom Vater Abu Karims, von den Kindern, vom Felsendom in Jerusalem und eine Uhr, die allerdings nicht funktioniert.

Abu Karim ahnt den Grund des Besuchs, doch werden

erst Höflichkeiten ausgetauscht. Wie es Umm Mohammeds Mann und ihren Kindern ginge? Hamdulillah, Allah sei Dank, erwidert sie. Wie es beruflich stünde? So tauschen sich Umm Mohammed und Abu Karim erst einmal in einer oberflächlichen Unterhaltung aus, deren Gegenstand das Wohlbefinden von Verwandten, Freunden, der Familie ist.

Denn obgleich Dschenin eine Stadt ist, unterscheiden sich ihre Strukturen kaum von denen der Dörfer, und es ist immer wieder erheiternd, festzustellen, dass jeder jeden zu kennen scheint und viele, meist um unzählige Ecken, miteinander verwandt sind.

Nachdem sie süßen und verlockend duftenden Pfefferminztee gebracht hat, setzt sich Umm Karim neben ihren Mann auf das niedrige Sofa, welches nachts auch als Schlafgelegenheit dient. Unter ihrer traditionellen Kleidung, die alle Körperumrisse zu verstecken schafft, kann Umm Mohammed den Bauch ausmachen, der sich ungewöhnlich rund nach oben wölbt. Sie mag im sechsten Monat schwanger sein, und ein Blick in ihr Gesicht zeigt, dass sie dafür keinesfalls zu alt ist, sondern vielmehr ihren ältesten Sohn Karim sehr früh bekommen haben muss.

Sie wolle sich nach Nadja erkundigen, durchbricht Umm Mohammed endlich das höfliche Geplänkel. Das Paar wirft sich einen kurzen Blick zu, wie um sich gegenseitig den Namen ins Gedächtnis zu rufen, worauf Abu Karim in einer knappen und keine Diskussionen duldenden Art die Antwort gibt, die Umm Mohammed zwar erwartet hat, die aber dennoch Wut über die Dummheit dieser Leute in ihr aufsteigen lässt, weil sie glauben, dass eine gute Schulbildung für ein Mädchen unwichtig sei.

Nadja könne lesen, schreiben und etwas rechnen, und mehr brauche sie nicht, um später eine gute Ehefrau und Mutter zu sein.

Umm Mohammed zwingt sich, ruhig zu bleiben, weil sie weiß, dass nur Diplomatie und gute Argumente eine Wende in dieser bereits beschlossenen Sache herbeiführen können. Bildung, sagt sie, sei aber kein Hindernis auf diesem Weg und somit auf allen Ebenen nur ein Zugewinn, sowohl für eine Mutter als auch für eine Ehefrau. Die gute Bildung sei es doch gewesen, die jene persönliche Stärke ausmache, welche sich nicht an dem militärischen Aufgebot der Israelis zu messen brauche, weil jeder wisse, dass sie auf lange Sicht überlegener sein werde. Blickten nicht auch die anderen arabischen Länder mit Bewunderung und zum Teil auch neidvoll auf dieses kleine, unterdrückte Volk, das sich in den Jahren der Besatzung nicht habe unterkriegen lassen, sondern immer wieder Menschen hervorgebracht habe, die anderen ein Beispiel gäben?

Abu Karim schickt sich nicht an, etwas einzuwenden, so dass sie fortfährt.

Das Land habe man ihnen genommen, die Häuser zerstört, und wenn die Kinder ihr Zuhause verließen, um zu heiraten, hätten die Eltern oft nichts, was sie ihnen mitgeben könnten, es sei denn eine gute Schulbildung. Und die ermögliche es ihnen nicht nur, Arbeit zu finden, sollte sich die Situation eines Tages verbessern; sie würden damit auch gegen das Vergessen arbeiten, würden dazu beitragen, dass die Erinnerungen an das Land, an die verlorenen Gebiete, nicht verschwänden. Die Männer seien die Kämpfer für Gerechtigkeit, die Frauen aber seien die Blüten der Zukunft.

Die Worte scheinen ihre Wirkung nicht verfehlt zu haben. Abu Karim räuspert sich, sucht nach guten Argumenten, um ihr etwas zu entgegnen, weil seine Lebensauffassung es nicht zulässt, einer Frau das letzte Wort zu lassen, selbst wenn es sich um eine Lehrerin handelt.

Die Geschichte Palästinas und des Widerstandes kenne Nadja, all das begegne ihr im alltäglichen Leben immer wieder. Momentan sei es aber für die Familie wichtiger, dass sie ihrer Mutter im Haus zur Hand gehe und bei der Betreuung der Kinder helfe.

Umm Mohammed beugt sich vor, um eines der kleinen Teegläser zu nehmen. Wenn die Familie wirklich auf Nadjas Hilfe angewiesen ist, kann sie nichts ausrichten.

Natürlich wisse er besser als Außenstehende, was das Richtige für seine Familie sei, doch sie wolle nur noch einmal betont haben, was Bildung alles bedeute, vor allem auch für das Ansehen der Eltern und der gesamten Familie, schließt Umm Mohammed.

Später begibt sie sich auf den Weg zu ihrer Schwester, geht durch die spärlich beleuchteten und schon fast ausgestorbenen Straßen der Innenstadt und glaubt, dass Nadja in den Unterricht zurückkommen werde, da Abu Karim in seinem Entschluss zu schwanken begann. Dieser kleine

Erfolg freut sie, auch wenn im nächsten Moment die Sorge um ihren Mann wieder zurückkehrt.

Als Umm Mohammed zur Tür hereinkommt, ist ihr Mann bereits eingetroffen. Völlig erschöpft sitzt er auf dem Sofa. Umm Mohammed fragt besorgt, was passiert sei und wie lange er am Checkpoint und am Tor gewartet habe.

Den ganzen Tag, antwortet er mit einem tiefen Seufzer, der die Papierblumen vom Tisch auf den Boden weht. Er sei am Morgen mit Usama, der am Vormittag seine Examensprüfungen hätte absolvieren sollen, losgefahren und habe auch ohne große Probleme am Tor passieren dürfen. Aber dahinter habe eine Gruppe von Siedlern gestanden, allesamt bewaffnet, mit Plakaten und Transparenten, weil sie gegen eine Entscheidung der Regierung demonstrierten, die den Etat für den Ausbau von Siedlungen kürzen wolle. Diese Gruppe habe ihnen den Weg versperrt, sie mit Steinen beworfen, dabei die Windschutzscheibe getroffen. Sie könne sich sicher vorstellen, wie es Usama ergangen sei, der wegen seiner Prüfungen ohnehin völlig nervös und nun auch noch mit diesen Irren konfrontiert gewesen sei.

Abu Mohammed holt Luft, blickt seine Frau aus seinen müden Augen an. Er habe also etwas unternehmen müssen, fährt er fort, damit Usama rechtzeitig in die Universität komme. Er sei aus dem Auto ausgestiegen und auf die Siedler zugegangen, die ihn aber angeschrien hätten, er solle wieder zurück in seinen Wagen, sonst würden sie ihn erschießen. Er habe in ihren Augen sehen können, dass kein Zweifel an ihrer Drohung bestehe, sie seien entschlossen gewesen, tatsächlich von ihren Waffen Gebrauch zu machen. Er habe sie regelrecht angefleht, ihn durchzulassen, da sein Sohn eine Prüfung zu absolvieren habe, aber es sei nichts zu machen gewesen, sie hätten wie Felsen in der Brandung dagestanden, sich keinen Zentimeter bewegt, weder nach links noch nach rechts, und die Fahrbahn versperrt. Er sei dann zurück zum Wagen gegangen. Was hätte er auch machen sollen? Mit Usama habe er gewartet, weil sie glaubten, dass die Siedler nach ein, höchstens zwei Stunden die Versammlung auflösen würden.

Unglaublich sei vor allem gewesen, dass die Soldaten am Checkpoint alles mitbekommen, aber nichts unternommen, sondern stillschweigend zugesehen hätten, wie diese Verrückten die Wagen und Transporter der Menschen angriffen, ihnen die Antennen abbrachen, Reifen durchstachen, mit den Gewehrkolben Dellen in die Kotflügel schlugen. Sie seien ihnen hilflos ausgeliefert gewesen. Abu Mohammed blickt den Mann seiner Schwägerin an, sagt, dass er schon einiges erlebt habe, besonders im Gefängnis, damals, im Jahr 1984, noch vor der ersten Intifada, was reine Schikane gewesen sei, aber das heute, so etwas habe er bisher noch nie erlebt, denn diese Menschen seien wirklich imstande gewesen, augenblicklich abzudrücken, die Leute zu erschießen, sie zu töten. So viel Verachtung und Hass sei ihm nur selten begegnet.

Sie hätten im Auto gesessen, drei oder vier Stunden, und die Siedler hätten unentwegt Parolen gegen Scharon geschrien, obwohl sie doch seine Lieblinge seien. Er habe sich entschlossen, nach Um Al-Rihan zurückzukehren, weil es aussichtslos erschienen sei, dass sie ihn durchlassen würden, aber hinter dem Wagen habe sich eine weitere Gruppe aufgebaut, und dennoch sei er ganz langsam und vorsichtig zurückgefahren, in der Hoffnung, sie würden eine Schneise öffnen, so dass er herauskomme. Doch während er zurückgesetzt habe, hätten sie ihm die Scheiben eingeschlagen, unter lautem Gegröle. Hinaus mit den Arabern, Tod den Arabern. Er und Usama seien – bis auf den Schock – zum Glück unverletzt geblieben. Er habe seinen Sohn dann nach Hause gebracht, ihm selbst sei es erst am Abend möglich gewesen, aus Um Al-Rihan herauszukommen.

Er schaut seine Frau an, deren liebevoller Blick ihn umarmt, und er fügt hinzu, dies sei die Hölle im Gelobten Land.

Brief an die Kinder

Liebe Isra'a, liebe Falastin, lieber Usama,
die Zeit und das Leben, die Fundamente unserer Existenz, muten uns oft so banal an, dass wir sie zu schätzen vergessen. Allah hat uns das Leben geschenkt, und er hat uns die Zeit gegeben, es zu nutzen.
Meine Zeit ohne euch erschien mir oft sinnlos, so dass ich begann, auch mein Leben in Frage zu stellen. Woher nehmen all die anderen den Sinn in einem Alltag der Hindernisse und enttäuschten Möglichkeiten?

Ich fuhr fort, meinen Schülern Mut zu machen, nicht aus Überzeugung, sondern weil ich es gewohnt war. Aber meine Welt veränderte sich immer mehr. All die kleinen Szenen auf der Straße – tapferes Aufbegehren im Land der betrogenen Hoffnungen – erschienen mir wie das Totschlagen von Zeit, Ablenkung von einem Dasein der lähmenden Nutzlosigkeit.
Ich war im Begriff, mich selbst zu verlieren, weil ich das aufs Spiel gesetzt habe, was mir am teuersten ist. Euch nicht sehen zu dürfen ließ mich erst die Liebe erkennen, die dem Leben die Kraft, dem Gewohnten den Zauber verleiht.

Und wieder sah ich die Menschen auf der Straße, die alle zusammen eine Kette der Normalität bildeten. Ihr war es zu verdanken, dass der eine den anderen daran hinderte, zu stürzen. Mein Gang zur Schule ergab wieder einen Sinn, weil ich doch nicht das fehlende Glied sein wollte, das alle zum Stürzen brachte.
Euer Vater war es, der mir immer wieder den Mut gab, auch den nächsten Tag zu erleben. Doch da ihr so fern ward, verlor ich das Glück, denen, die ich liebe, etwas geben zu können.
Inzwischen weiß ich, dass ich mich in diesen Empfindungen verloren hatte, verfangen in meinem Gewissen, das mir in allen Dingen nur meinen Verrat widerspiegelte, den Verrat an euch und eurem Vater.

Die Zeit war es auch, die mich vieles verstehen ließ, die erlaubte, dass ich aus meinen eigenen Empfindungen heraustrat, um das Gesamte zu erblicken.
Das Exil war mir lange als ungerechte Strafe erschienen, hatte nur meine Wut gegenüber den Ungerechtigkeiten der Besatzung genährt, doch alles hat auch eine positive Seite, denn Allah führt uns nicht grundlos in die Irre, und ich begann zu erkennen.
Ich wollte die anklagende Explosion des Widerstandes sein, der ausgespiene Zorn der Unterdrückten, und verbrannte dabei doch nur mich selbst.
Was erreichen unsere Märtyrer mit ihrer zerstöreri-

schen Radikalität? Jedem ihrer Opfer folgen zwangsläufig mehrere auf unserer Seite, und die fordern wieder Tote in Israel, was zudem eine Zerstörung unserer Häuser, unserer Existenzen nach sich zieht. Und genau wie ich mit meinem zerrissenen Tasrih spielen sie den Israelis in die Hände, die nun eine Mauer auf unserem Land errichten können, um uns wie Vieh einzusperren, weil wir ihren vorgeschobenen Grund der Selbstverteidigung mit jedem weiteren Anschlag bekräftigen.

Die Selbstmordattentate tragen mit Schuld daran, dass die Stadt Kalkilia von einer acht Meter hohen Mauer umgeben ist. Denn durch sie wird die Propaganda Israels bestätigt, die Stadt sei eine der Hochburgen radikaler Kräfte, und lenkt von der Tatsache ab, dass sie das letzte Hindernis einer weiteren völkerrechtswidrigen Annektierung durch den Staat Israel ist. Denn man hat um Kalkilia herum Siedlungen gebaut, in der Hoffnung, die Stadt zu ersticken, um sich in unersättlicher Gier immer weiter zu vergrößern.

Menschen wie die Bewohner von Kalkilia sind unsere wahren Helden des Widerstandes. Sie rühren sich nicht vom Fleck, sie kämpfen für ihre Existenz und zahlen dafür mit dem Preis der Gefangenschaft und einem Leben unter dem Diktat der Willkür.

Ich kann nun verstehen, wie Familien sich fühlen, die durch die Mauer getrennt wurden, wenn sie erst die ermüdende Prozedur einer Antragstellung Tag für Tag über sich ergehen lassen müssen, weil sie die sterbenskranke Mutter besuchen oder die hochschwangere Frau ins Krankenhaus bringen wollen.

Man will die Menschen glauben machen, es geschehe zum Schutz der israelischen Einwohner, wenn man jungen Männern den Tasrih ohne Begründung verweigert und sie keine Möglichkeit mehr haben, ihr Studium oder ihre Ausbildung fortzusetzen.
Man sagt, es geschehe zum Schutz ihrer Bevölkerung, wenn man den Familienvätern den Tasrih ohne Begründung verweigert, so dass sie keine Arbeit finden können und ihre Familie langsam verhungert.

In Wahrheit ist es das Ziel Israels, den Druck auf uns Palästinenser weit über die Schmerzgrenze hinaus zu erhöhen und uns unter das Existenzminimum zu treiben, damit auch die letzten Bewohner »freiwillig« gehen und die Welt vor den wahren Gründen die Augen weiter verschließen kann.

Das Geschwür in unserem Körper will niemand sehen. Es streut Metastasen, die ihrerseits wachsen und Metastasen werfen, bis es kaum noch gesundes Gewebe geben wird und jede Rettung zu spät kommt. Dann wird die Welt bedauernd mit den Achseln zucken, ein Tuch über die sterblichen Überreste Palästinas decken und in der offiziellen Rede des Staatsbegräbnisses erklären, man habe es nicht für möglich gehalten, dass der Tumor so aggressiv sein würde.
Hingegen soll es Fälle gegeben haben, in denen ein Mensch schon für so gut wie tot erklärt worden war, so dass die unfehlbaren Mediziner der westlichen Zivilisation kapitulieren mussten.
Da geschah es, dass der auf sich gestellte und totgeglaubte Mensch, dessen Lebenswille nicht zu brechen war, dessen fester Glaube das Fassbare überstieg, sich schließlich durch eigene Kraft heilen konnte.

Seit der Fertigstellung des Zauns ergeht es uns wie den Bewohnern von Kalkilia. Auch uns wird das Leben immer mehr zur Hölle gemacht, in der Hoffnung, dass wir aufgeben. Unsere Hölle wird viele Gesichter haben. Immer wieder wird es Salem und dessen Adjutant, das verschlossene Tor, sein. Wir werden vor Verzweiflung schreien, weil wir glauben, die giftigen Pfeile der Anfeindungen, des Hasses nicht mehr ertragen zu können, und uns wünschen, in einer Um-

gebung von Gleichgesinnten zu leben, ohne die täglichen Diskriminierungen unseres Volkes.

Ich kann deine Wut fühlen, Usama, als die Siedler dich daran gehindert haben, rechtzeitig zu den Prüfungen zu erscheinen. Aber lass nicht zu, dass sie doppelt siegen, sondern pariere ihre Schikane mit einer besonders guten Note. Zeige ihnen, dass sie dir zwar mit roher Gewalt den Durchgang verwehren, dich aber niemals vom Pfad deines Lebens abbringen können!
Lasst nicht die schlechten Gefühle in euch überhand nehmen, weil es nicht der Zorn ist, der den Körper des Kranken heilt, sondern der gute Gedanke und die Hoffnung.
Ich weiß, es ist viel, was ich von euch verlange, denn man empfindet den heftigen Drang, eine Demütigung vergelten zu müssen, auch um die vermeintliche Schwäche zu kaschieren. Doch sind das Eitelkeiten, denen auch ich lange verfallen war. Wie oft war ich über euren Vater erzürnt, weil er sich scheinbar allem fügte, nur um jetzt festzustellen, wie groß seine Stärke ist, denn mich hätten ihre Schikanen schon vor Tagen besiegen können.
Sollte ich jemals wieder nach Hause kommen, so wird das sein Verdienst sein, der Sieg seiner Besonnenheit.

Ich weiß, du bist ihm sehr ähnlich, liebe Falastin. Sei stolz auf die Ruhe und Beständigkeit in deinem Wesen und glaube nicht, dass es anders besser ist. Und so, wie dein Vater und ich uns gefunden haben, wirst auch du einen Mann finden, mit dem du dich ergänzt und dessen loderndes Feuer der Emotionen du vielleicht eines Tages wirst zügeln müssen.

Und meine kleine Isra'a, glaube mir, die Liebe existiert auch hier bei uns, nicht nur in deinen Liedern. Wir haben hier zwar nicht alle Möglichkeiten, aber trotzdem wartet dein junges Leben ungeduldig darauf, dass du das Beste aus ihm machst. Du hast es in der Hand, glücklich zu sein wie jedes andere Mädchen in deinem Alter.

Wie oft kreisen meine Gedanken auch um Mohammed, den wir schon zu lange nicht mehr in unsere Arme geschlossen haben. Es muss eine Qual für ihn sein, unsere Situation von außen betrachten zu müssen, ohne etwas daran ändern zu können. Oft wird er sich so fühlen, wie ich mich fühle, als hätte er seine Familie verraten.

Aber vielleicht werden eines Tages all unsere Hoffnungen auf ihm ruhen, dem Sohn in der Ferne.

Ihr wisst, dass Tränen der Sentimentalität mir nicht besonders stehen. Doch oft kann ich mich ihrer nicht erwehren, da der Gedanke an euch mich mit Stolz erfüllt.

Ich hoffe, es wird bald wieder eine Zeit geben, in der wir uns nicht mehr verabreden müssen wie gute Bekannte. In der ich nicht auf einen Brief angewiesen sein werde, um euch meine Gedanken und Empfindungen mitzuteilen. In der auch ihr mir erzählen könnt, wenn euch etwas bedrückt, und es nicht herumtragen müsst wie einen Gutschein, der schon abgelaufen ist, wenn ihr ihn einlöst.
Und wieder bin ich bei der Zeit angekommen. Wir haben die Zeit, das Leben zu nutzen, und solange uns die nicht genommen wird, ist alles möglich!

8

Was sie auch macht, wohin sie auch blickt, was sie auch sagt – Salem ist überall. Die mit diesem Ort verbundene Hoffnung, die jeden Morgen von neuem entflammt, breitet sich wie eine Seuche, nein, vielmehr wie eine Sucht, in die sie getrieben wurde, in ihr aus. Gestern hatte die israelische Armee eine Ausgangssperre verhängt. Niemand durfte aus dem Haus, auch Umm Mohammed nicht, und so musste sie den ganzen Tag bei ihrer Schwester verbringen. Sie las, sie trank, sie aß, sie schrieb, sie betete zu Allah, dem Allmächtigen, unentwegt mit diesem Drang, nach Salem fahren zu müssen, und dieser Drang machte sie zu einem zitternden, aufgedrehten, wirren Bündel zersägter Nerven.

Umm Mohammed konnte die ganze Nacht nicht schlafen, ständig spukte es in ihrem Kopf, so wie auch in all den Nächten zuvor, weil sie unentwegt nach einer Möglichkeit suchte, diesen verdammten Tasrih zu erhalten. Sie kam aber nie um Salem herum; Salem, das einzige Tor in einer Mauer, die ihr das Leben vorenthält, sie ausschließt und in die Haltlosigkeit verbannt.

Sie steht im Bad am Waschbecken, benetzt sich das

Gesicht mit Wasser, blickt in den Spiegel und sieht ein Antlitz, das ihr fremd ist, weil es leer wirkt. Dunkle Ringe ziehen sich um die traurigen, müden Augen, in denen kein Funkeln mehr zu sehen ist.

Ihr ist zum Weinen zumute, sie kann aber nicht, und dennoch sollte sie weinen, weil es sie befreien würde von dem Schmerz, den sie empfindet, der sich immer tiefer in ihre Seele hineinschraubt, bis diese aufspringt und zerbricht.

Heute geht sie nicht in die Schule, heute wird sie schon am Morgen nach Salem fahren und dort zusammen mit ihrem Mann versuchen, den Passierschein zu beantragen. Was bleibt ihnen auch anderes übrig. Nicht aufgeben, hatte ihr Mann gesagt, sie müssten nur durchhalten, dann bekomme sie sicherlich dieses ihr Leben bestimmende Papier. Sie legt die Kleidung an, welche sie schon seit Wochen trägt, nicht weil Abu Mohammed ihr keine frische Wäsche bringen würde, sondern weil sie diese als Mahnmal ihrer Schuld empfindet.

Als vor dem Haus eine Hupe ertönt, schlüpft Umm Mohammed in die verschmutzten Schuhe. Ihre Schwester wünscht ihr, dass das Glück, welches sie vor langer Zeit verlassen hatte, zurückkehre. Wer weiß, ob sich dieser bunte und fröhlich zwitschernde Vogel jemals wieder auf ihre Schultern setzen wird, um ihr dann »Yellah« zuzurufen.

Die Wolkendecke am Himmel ist aufgerissen, und die Sonne lacht jene an, die vor dem Einlass im Zaun unterhalb der Militärverwaltung nicht den leisesten Grund zur Freude haben. Männer sitzen ringsherum auf Steinen und trinken Kaffee aus Plastikbechern, in Gruppen zusammensitzende Frauen tauschen Neuigkeiten aus, Kinder spielen zwischen den Bäumen des nahe gelegenen Olivenhains. Doch steht ausnahmslos jedem Erwachsenen Unsicherheit ins Gesicht geschrieben, da es ungewiss ist, ob die Beamten in Salem die Anträge der Leute überhaupt annehmen, denn Recht und Gesetz sind nicht für sie bestimmt, sondern für andere.

Hier ist die Zeit ein Wasserrad an einem versiegenden Bach, dessen Fluss von Dämmen in eine andere Richtung als die ursprüngliche umgeleitet wird.

Abu Mohammed hakt sich bei seiner Frau ein, und sie stellen sich erwartungsvoll direkt vor den Einlass, blicken zu der Gruppe junger Soldaten hinter dem Zaun, welche den Rücken den Arabern zugewandt haben und sich amüsiert unterhalten, als sei die Welt auf der anderen Seite fern ihrer Wirklichkeit. Ein Konvoi von Armeejeeps fährt an das Tor, und ein Israeli mit geschultertem Gewehr steigt aus, um es zu öffnen, die Fahrzeuge durchzulassen, es dann wieder zu schließen, einzusteigen und davonzufahren.

Einer aus der Gruppe winkt, und als Umm Mohammed und ihr Mann durch den Einlass möchten, bedeutet der Soldat ihnen jedoch, dass nicht sie gemeint seien, sondern ein Mann, der neben ihnen stehe.

Die Wolkendecke am Himmel schließt sich, verschluckt die Sonne, so dass das fahle Licht das satte Grün des Grases und das leuchtende Gelb der in die Höhe ragenden Zaunpfähle dumpf werden lässt, die gesamte Umgebung in winterliche Farblosigkeit versinkt.

Die Minuten sind Stunden, die Stunden Tage. Wind kommt auf. Erst schwach, wird er immer stärker, reißt an der Kleidung der Leute, von denen einige Schutz hinter Bäumen oder in ihren Autos suchen. Nur noch wenige stehen vor dem Einlass, darunter Umm Mohammed und ihr Mann. Plötzlich wieder der Wink eines Soldaten. Dieses Mal sind sie gemeint. Sie stemmen sich gegen den Wind, der sie zurückwerfen will, kämpfen sich aber vor, bis der Soldat ihnen bedeutet, stehen zu bleiben, damit Abu Mohammed dem demütigenden Ritus, Jacke und Hemd hochzuziehen und den nackten Oberkörper zu zeigen, nachkommt. Der Soldat blickt kurz auf die Ausweise und lässt sie passieren.

Es ist Mittag, als Umm Mohammed zusammen mit ihrem Mann an den Schalter tritt. Ihren Ausweis hält sie bereits in der Hand, um ihn durch den Schlitz am unteren Rand des Panzerglases zu schieben, während Abu Mohammed, wie schon unzählige Male in den Tagen und Wochen zuvor, das Anliegen nun einer Soldatin vorträgt. Sie sei eine Frau und könne vielleicht das Problem von Umm Mohammed besser verstehen als jene männlichen Beamten, mit welchen er bisher zu tun gehabt habe, beginnt er. Seine Frau komme aus Um Al-Rihan, hinter dem »Sicherheitszaun«, habe also den Anspruch auf einen Passierschein, der sie aber nie erreicht habe, trotz der gegenteiligen Eintragung im Computer. Fast drei Wochen sei sie nun schon nicht mehr zu Hause gewesen, habe ihre Kinder nicht sehen können, die ihre Mutter vermissen würden. Er appelliere an ihre Bereitschaft zu helfen, an ihre Güte, an ihr Herz, das einer Frau und künftigen Mutter.

Nüchtern blickt die junge Beamtin in den vor ihr liegenden Ausweis, betrachtet ihn eine Weile, schaut auf den Monitor ihres Computers, zieht skeptisch die Augenbrauen hoch, wendet sich Abu Mohammed zu und sagt, dass sie nicht wisse, wie sie ihm helfen könne, stehe doch hier – und sie dreht ihm den Bildschirm zu –, dass sie ihren Tasrih bereits erhalten habe.

Es ist eine sympathische Israelin, deren gelocktes Haar über die Schultern fällt und dadurch das schmale Gesicht mit der großen Nase und dem kleinen Mund in einer dunkelbraunen Mähne einfasst. Ihre feingliedrigen Finger zeigen auf einen Eintrag in hebräischen Lettern, welchen Abu Mohammed aber nicht entziffern kann, was jedoch nicht von Belang ist, da sie ihm dessen Bedeutung bereits mitgeteilt hat.

Aber das wisse er doch bereits, erwidert er und fährt mit schon fast lieblich klingender Stimme fort, dass er ratlos sei, weil alle ihn immer wieder auf diesen Eintrag hinwiesen; aber wenn seine Frau einen Tasrih hätte, wäre er nicht hier, würde der Soldatin doch nicht ihre kostbare Zeit stehlen, und er bitte sie inständig, ihnen zu helfen.

Im selben Moment kommt ein Mann in das Büro, fragt die Frau, ob sie klarkomme. Sie nickt, doch habe sie eine Frage, denn dieser Mann, sie deutet dabei mit einer Kopfbewegung auf Abu Mohammed, der vor dem Schalter steht und die beiden nachdrücklich anblickt, dieser Mann sage, dass seine Frau ihren Passierschein nicht bekommen habe, obwohl im Computer etwas anderes stehe. Könne das sein, und wenn ja, was sie machen solle.

Umm Mohammed steht neben ihrem Mann, beobachtet die beiden Israelis, wie sie miteinander diskutieren, wendet sich ab und setzt sich müde auf die Bank vor den Schaltern. Es hatte nichts, aber auch gar nichts zu bedeuten, wenn eine Beamtin oder ein Beamter sich ihrer annahm, war es in der letzten Zeit doch oft genug vorgekommen, dass all deren Bemühungen an ihren Vorgesetzten scheiterten.

Ihr Körper ist ermattet, ihr Geist schlaff, aber ihr Herz pocht schnell und laut, und es ist das Schlagen eines schmerzerfüllten und wütenden Herzens, weil Umm Mohammed nicht versteht, dass man es ihr verweigert, einen neuen Tasrih zu beantragen. Zehntausende wurden doch schon ausgestellt, und bestimmt gibt es den einen oder anderen Fall, bei dem der Passierschein den, der ihn bekommen sollte, nicht erreicht hat. Wie können sie dies aber kategorisch ausschließen, wo doch Irrtümer menschlich sind und jeden Tag zuhauf vorkommen – auch wenn es sich in ihrem Fall nicht um ein Versehen handelt, was sie jedoch nicht wüssten, denn es ist ihr Geheimnis, ein düsteres Geheimnis, ein schuldbeladenes Geheimnis, welches sie auf Eis gelegt und weggepackt hat, in ein Schubfach mit der Aufschrift »Schmerzvoll«.

Sie hätten ihn gebeten, in einer halben Stunde wiederzukommen, sagt Abu Mohammed, als er sich neben seine Frau setzt. Seine unaufhörlichen Anläufe, Versuche, Erläuterungen und Bittstellungen scheinen ihn zusehends zu zermürben, denn er sinkt auf die Bank und blickt wortlos zu Boden, um nach kurzer Zeit wieder all seine Kräfte zu sammeln, sich zu erheben und mit Beharrlichkeit weiterzukämpfen. Sein Kampf ist nicht jener der Waffen, nicht jener der Drohgebärden, nicht jener des Hasses und der Gewalt, sondern einer der Sanftheit, der Geduld, der subtilen, scheinbar banalen Dinge, die aber das Leben ausmachen und es vorantreiben.

Umm Mohammeds Wesen indes ist ein anderes, ihr Schmerz und ihre Wut sind zu stark. Sie blickt voller Verachtung zu den Schaltern hinüber, würde am liebsten aufstehen und den Beamten zubrüllen, dass sie diesen Zustand nicht mehr ertrage, dass sie nach Hause wolle – und wenn sie dabei in Tränen ausbreche, dann solle es geschehen, dann könne sie ihn ausschütten und entleeren, ihren Zorn. Sie stellt sich vor, wie die Leute reagieren würden, die Soldaten hinter den Schaltern und die Antragsteller vor den Schaltern, doch im selben Moment sagt ihr Mann, dass er wieder zu der Beamtin gehe, ob sie nicht mitkommen wolle.

Ja, sie gehe mit, sagt sie, auch wenn sie sich wie eine Taubstumme vorkommt, weil sie Hebräisch weder verstehen noch sprechen kann. Aber sie begleitet ihn, ist das Ganze doch ihr Verschulden, und auch um ihm den Rücken zu stärken, einfach nur da zu sein, so wie er immer für sie einfach nur da war, ist und für immer sein wird.

Es ist stets das gleiche Prozedere: Sie werden weggeschickt, um wenig später wiederzukommen und die Antwort zu erhalten, dass die Beamten mit ihrem Vorgesetzten sprechen müssten, wieder und immer wieder, eine Endlosschleife von Bitten und Rückschlägen. Auch dieses Mal, obgleich die junge Frau und ihr Kollege sichtlich bemüht sind zu helfen. Aber noch hätten sie nichts erreichen können. Was sie denn erreichen wollten, fragt Abu Mohammed. Sie seien angewiesen worden, den Leiter jenen Amtes, das für die Passierscheine zuständig sei, zu fragen, ob der Fall von Umm Mohammed der Wahrheit entspreche, und außerdem sei nur er befugt, einen neuen Tasrih auszustellen, er habe im Moment aber so viel zu tun, sie sollen sich noch in Geduld üben, teilt ihm die Soldatin mit. Das bedeute, dass sie ihm nicht glaube, erwidert Abu Mohammed. Nein, mit Glauben oder Nichtglauben habe dies nichts zu tun, der Fall müsse schlichtweg geprüft werden, schließt sie ab und bittet beide, wieder auf der Bank Platz zu nehmen.

In Geduld üben, aber wie lange noch? Umm Mohammed und ihr Mann haben schon fast den gesamten Tag mit Warten verbracht, mit geduldigem Warten. Stunden sind vergangen, während sie auf der Bank saßen oder vor dem Schalter standen, nichts sagten, nur schauten. Den jungen Leuten war der flehentliche Blick Abu Mohammeds nicht entgangen, der dem eines in Demut erstarrten Hundes glich, den sie aber missachteten, weil er eben kein Hund ist, sondern Araber und Palästinenser.

Der Wind pfeift durch den Maschendrahtzaun, der meterhoch die Anlage umschließt, und er bringt nur noch mehr Wolken, die sich hoch über ihren Köpfen stauen und sich in einem gewaltigen Gewitter entladen wollen.

Umm Mohammed blickt auf ihre Uhr, es ist kurz nach halb vier. Salem schließt in weniger als dreißig Minuten. Mit ihrem Mann geht sie noch einmal zum Schalter, an dem nur noch die junge Frau sitzt, welche ihre Blätter sortiert, den Computer herunterfährt, weil bis auf Umm Mohammed und ihr Mann niemand mehr hier ist. Vorsichtig, so als ob er die Frau nicht aufschrecken will, tritt Abu Mohammed begleitet von seiner Frau an sie heran. Ob sich etwas ergeben, der Leiter des Passierscheinamtes sich nun ihrer Angelegenheit angenommen habe? Die Frau blickt den Mann befremdet an, als würde sie jemand auf offener

Straße um ihre Telefonnummer bitten, besinnt sich aber und schüttelt den Kopf, sagt, der Kollege habe schon seit einer halben Stunde Dienstschluss, er sei bereits gegangen.

Fassungslosigkeit steht Abu Mohammed ins Gesicht geschrieben, und seine Frau begreift, dass der gesamte Tag nun vergebens war, das fortwährende Hin und Her zwischen Sitzbank und Schalter, dass die Versprechungen dieser Menschen nichts als leere Seifenblasen waren, die im Nu zerplatzen. In ihr steigt Hitze hoch, welche auch der kühle Wind nicht mildern kann. Sie spürt, wie das Feuer ihr Haupt und Herz verzehrt, ihre Schläfen zu bersten drohen, ihr Atem schwerer wird, weil sie in ihrer Sprachlosigkeit nach Worten ringt. Dann bricht es in einem Schwall der brennenden Gefühle aus ihr heraus.

Sie hätten hier den ganzen Tag verbracht, darauf gehofft, dass sie ihnen helfe, und nun stelle sich heraus, dass all die Beteuerungen der Israelin nichts als Lug und Trug seien. Abu Mohammed berührt sie sanft am Arm, aber er zieht seine Hand wieder weg, weil er gar nicht will, dass sie sich beruhigt, weil auch er den Zorn und die Ohnmacht verspürt, diesen aber keinen Ausdruck verleihen kann, nicht so, wie seine Frau es tut. Und Umm Mohammed schreit nun, brüllt all die Pein und das Leid hinaus, welche sich in den letzten Tagen aufgestaut haben. Sie habe seit neunzehn Tagen keinen Fuß mehr in ihr Heim gesetzt, sie habe ihre Kinder kaum mehr gesehen, und wenn, dann nur wie Besucher, die einer Verstoßenen in ihrer Verbannung ihre Aufwartung machen. Ob sie wisse, wie sich das anfühle und wie es sei, wenn man glaube, dass alle einen anstarrten, weil die Leute um das eigene Los wissen könnten, diese mitleidigen Blicke, immer und überall, selbst von ihren zehnjährigen Schülerinnen?

Die Soldatin schaut verwirrt Abu Mohammed an, weiß nichts zu sagen, und Umm Mohammed fährt fort, kreischend, dass sie hierher gekommen sei, um einen Passierschein zu bekommen, sie habe hierfür einen ganzen Tag freigenommen, und sie werde bleiben, bis sie diesen verdammten Tasrih in Händen hält – als plötzlich aus einem Seitenausgang ein Soldat mit einem geschulterten Gewehr erscheint, ein israelischer Druse, der sie auf Arabisch ermahnt, sich zu beruhigen. Abu Mohammed greift seine Frau am Oberarm, bittet sie, sich zu zügeln, weil er an der demonstrativen Körperhaltung des Soldaten erkennt, dass mit ihm nicht zu spaßen ist. Umm Mohammed wirft dem Mann hitzig zu, dass sie hier nicht weggehen werde, und wenn er sie erschieße. Dann bricht sie in Tränen aus. Sie würden jetzt schließen, er solle seine Frau nehmen und gehen, fordert der Druse Abu Mohammed auf, drängt beide zum Ausgang hinaus und fügt hinzu, dass es keine Aussicht auf Erfolg gebe, wenn die Frau so schreie.

Umm Mohammed aber spürt zum ersten Mal, dass der Tod eine Würde besitzt, die Tränen nicht trüben können.

Tagebuchnotiz

Man sagt, der Wind habe sich gedreht, und meint oft damit, etwas habe sich zum Guten gewendet.
Der Wind hat viele Eigenschaften, er dreht und wendet sich, mir günstig aber ist er nicht.
Er hat mir Schlechtes gebracht. Bruchstücke schuldlosen Leides aus dem Süden, Schatten nie gelebter Träume aus dem Westen, Spiegelungen nicht eingelöster Hoffnungen aus dem Osten und Bilder des täglichen Schreckens aus dem Norden.
Lange habe ich mit ihm gehadert. All meine Liebe und Hingabe galten immer nur ihm, und so hat er es mir vergelten wollen?
Ich spüre noch immer, wie er in Salem in mich fuhr, seine Kraft mich durchdrang, all die Schmach durcheinander wirbelte und schließlich in einen wilden Tanz der Wut und Enttäuschung mündete, so dass man glauben musste, ich wäre von einem Dschinn – einem Geist – besessen.
Ich sah nicht mehr das verschreckte Gesicht der Israelin, nicht die Hand meines Mannes und auch nicht die Drohgebärden des Drusen. Mein Körper schien aufgelöst in wütenden Wirbeln des Windes, verbrannte in den aufgepeitschten Flammen meines Feuers, und was von mir übrig blieb, wurde zum Gewehr des blinden Hasses.
Und ich fiel und fiel. Am Höhepunkt meiner Zerstörung, in einem Moment, in dem der Wind mich in

seine Arme hochnehmen wollte, um mich zu einer Waffe des Bösen zu machen, blickte ich in die tiefbraunen Augen unendlicher Güte und Liebe, und aus schwindelnder Höhe zogen sie mich wieder herab, und ich fiel.
Ich fand mich in den Armen meines Mannes, der mich hielt, der mich die Angst vor dem Fall hatte vergessen lassen und mir die Tränen trocknete, die ich so lange voller Abscheu verweigert hatte und die nun geduldig begannen, meine Feuer zu löschen.

Ich muss immer wieder an die Parabel von dem Elefanten denken, der in ein Dorf voller Blinder kam, die noch nie von einem solchen Tier gehört hatten. Jeder Einzelne näherte sich ihm voller Neugier. Der eine legte die Hand auf seinen Rüssel, der andere auf sein Ohr und wieder ein anderer auf das Bein usw. Als sie wieder zusammenkamen, beschrieb jeder seinen ganz persönlichen Elefanten, und bei dem einen sah er aus wie ein Schlauch, bei dem anderen wie ein Fass; keiner von ihnen kannte die Wahrheit, die außerhalb des Aufnahmevermögens liegt und nur dem Allmächtigen vorbehalten ist.

Doch selbst wenn ich das Ganze nie werde begreifen können, ist es mir dennoch möglich, den Standort zu wechseln, vom Rüssel zum Ohr, und so habe ich beschlossen, dem Wind eine andere Richtung zu geben. Ich warte nun nicht mehr darauf, dass er mir etwas bringen möge. Stattdessen gebe ich dem Wind mit, was ich nicht brauche, damit er es weit hinausträgt: den Schmerz dieser Tage.

Der Wind hat sich gedreht, und ich habe in Salem den Tasrih bekommen. Der Moment, in dem mir die Heimkehr geschenkt wurde, entsprach nicht den Vorstellungen, die ich mir von ihm gemacht hatte.
Es war lediglich eine belanglose Amtshandlung innerhalb des israelischen Verwaltungsapparates: das Drucken und Stempeln eines unscheinbaren Zettels und die lässige Geste des Überreichens, die dem Empfänger das Gefühl gibt, sie wäre angesichts der Banalität seines Ansinnens die Mühe nicht wirklich wert gewesen und nur aus Gnädigkeit geschehen.
Doch selbst das konnte mir die persönliche Bedeutung dieses Papiers nicht nehmen. Die Erleichterung, zu meiner Familie zurückkehren zu können, musste mein Gesicht regelrecht zum Strahlen gebracht haben, denn daraufhin überreichte mir die junge Beamtin den Passierschein, voller Rührung und Freude darüber, geholfen haben zu können.
Ich hielt eigentlich nicht viel davon, wieder einen ganzen Vormittag in der Schule zu fehlen und dies-

mal schon vor Öffnung der Tore in Salem zu warten, um als Erste eingelassen zu werden und mein Anliegen vortragen zu können. Aber ich ertappte meinen Mann dabei, abergläubischer als ein altes Weib zu sein, weil er dachte, dass eine Änderung der Strategie den gewünschten Erfolg bringen würde. Ich wollte ihm die Hoffnung nicht nehmen.

Wieder saß eine Israelin hinter dem Schalter, und ich musste mich beherrschen, mich nicht mit unnötigen Vergleichen zum Tage meiner zügellosen Wut zu quälen.

Sie war kaum älter als Falastin – ein Umstand, der mir einen Stich gab: dass es Kinder sind, die über unsere Zukunft entscheiden sollen.

Doch ihre Mimik und Gestik ließen mich schnell diesen Groll vergessen. Aus dem häufigen Kontakt mit diesen israelischen Beamten war ein unfehlbares Gespür für deren Charakter erwachsen, und ohne ein Wort zu verstehen, las ich in ihren Augen, ihrer Körperhaltung, ja selbst in dem, wie sie sprachen, was ich nicht verstand, aber erfühlen konnte.

Sie war eine einfühlsame junge Frau, die uns zuhörte, so dass mein Herz wieder Hoffnung schöpfte. Auch sie verwies auf die Eintragung im Computer, auch sie zog einen männlichen Kollegen hinzu, doch diesmal gab es keine Hindernisse, zum Vorgesetzten vorzudringen.

Dieser Beamte nahm sich hinreichend Zeit für uns und war nach den Ausführungen meines Mannes bereit, mir einen neuen Tasrih auszustellen. Eine Prozedur, die so leicht und unspektakulär war, dass ich begriff: Nicht er war an den unzähligen anderen Tagen das Hindernis gewesen, sondern jene, die an den Schaltern saßen und sich nicht die Mühe machen wollten, meinem Gesuch nachzukommen.

Er war mein Schicksal gewesen, nicht mein Hindernis. Es war, als ob ich über Wochen vor einem Karussell der verschlossenen Türen hätte warten müssen, bis meine Geduld endlich belohnt und meine Qual beendet werden sollten.

Nun fühle ich unendliche Erleichterung. Nicht weil jetzt alles gut werden wird, denn hierauf wage ich gar nicht zu hoffen. Aber mein Martyrium der Verbannung hat ein Ende. Meinen demütigen Gang nach Salem kann ich wegschließen und den Schlüssel in die Tiefen des Meeres werfen. Ich werde meine Tage der Vertreibung einer Vergangenheit zurechnen, die mich vieles begreifen ließ und dafür einen bitteren Lohn forderte.

Noch immer verabscheue ich den Zettel meiner Gefangenschaft. Aber es ist die Liebe, die mich auf-

fordert, diese tägliche Demütigung zu erdulden, weil ich sie kein zweites Mal aufs Spiel setzen möchte. Ich verzichte auf das Recht, um meinen Kindern eine Mutter sein zu können, weil auch ich manchmal noch wünsche, eine zu haben, zu der ich mich flüchten könnte.

Wie beschreibt man »Heimkehr«? Die Straße war mir vertraut, und ich fühlte jedes Schlagloch, welchem mein Mann nicht schnell genug ausweichen konnte, und so begrüßten sie mich damit in der Welt der mir vertrauten Dinge.

Die Bäume am Wegesrand schienen mir wie demütige Diener zuzunicken, und fast glaubte ich, ein Winken ihrer Äste zu bemerken, die mir zeigen wollten: »Hier entlang, bitte«, und die Vorfreude auf das Zuhause fühlte sich an wie eine Schar kleiner Tiere in meinem Körper, die vor Aufregung nicht wussten, wohin sie laufen sollten, um dann zu meinem Herzen zu kommen und diesem eine Schwere zu geben, die mich ehrfurchtsvoll schweigen und beobachten ließ.

Mein Mann ließ mir meine Empfindungen, schaltete das für ihn sonst unverzichtbare Radio nicht an, rauchte nicht, um mir die Möglichkeit zu geben, vertraute Düfte wahrzunehmen, und sagte nichts, was von mir hätte verlangen können, meine Emotionen in Worten zu ersticken.

Die Heimat sieht anders aus, wenn man lange fort war. Als habe die Sehnsucht jede Einzelheit so sorgsam gehütet, dass einem sogar das Wachsen der Gräser ins Auge fällt. Alles wirkt, als ob es einen winzigen Zentimeter zur Seite gerückt worden wäre, und obwohl man das Gewohnte erkennt, fühlt man sich der abwesenden Zeit wegen betrogen.
Der schönste Moment ist das Betreten des Hauses, die ersten Minuten, wenn ich ganz allein mit ihm bin und mit allen Sinnen horche, um seinen Geist zu spüren, seine Eigenheiten zu riechen und damit das Wesen der ganzen Familie zu erfassen.

Ich bat meinen Mann, mich in einiger Entfernung aus dem Auto zu lassen und etwas zu warten, um von den Kindern unbemerkt ankommen zu können. Als ich mich aus dem Bann des Hauses gelöst hatte, fing ich an, ihre aufgeregten Stimmen zu hören. Isra'a, die Falastin provozierte, weil sie sich deren Unsicherheiten nur zu sicher war, und Usama, der schlichtend eingriff und seine kleine Schwester in die Schranken wies. Falastin, die offensichtlich Probleme mit dem Zubereiten des Maftul hatte, dessen gräuliche Farbe bejammerte und der ihre Geschwister nicht aus der Patsche helfen konnten, weil sie es nie für nötig gehalten hatten, sich mit Haushaltsdingen abzugeben, und höchstens bereit waren, die ihnen gestellten Aufgaben zu erfüllen. Ich konnte Falastins Verzweiflung spüren, die etwas Perfektes hatte kochen wollen und nun annahm, ich würde aufgrund der Farbe des Gerichts ihre Liebe nicht mehr schmecken können.

❁

Sie in den Armen zu halten und zu wissen, dass es diesmal kein drohendes Wachen vergehender Stunden gab, sondern dass das gemeinsame Leben unserer Familie wieder einen Anfang gefunden hatte, das war meine Heimkehr. An einem Tisch mit meinen Lieben zu sitzen, Falastins zugegeben graue, aber ausgezeichnet gewürzte Suppe zu essen und all die kleinen Geschichten zu hören, die ich so vermisst hatte und die man als nicht wichtig genug empfindet, um sie bei einem kurzen Treffen zu erzählen, all das gab mir das Gefühl, wieder in ihrer Mitte zu sein.
Isra'a behauptete, Falastin sei verliebt, was diese aber errötend abstritt. Wie sehr gönnte ich ihr dieses aufgeregte und vor Unsicherheit über die eigene Attraktivität nervöse Klopfen des Herzens, das aus jedem neuen Tag ein Abenteuer macht!
Vielleicht war es aber auch Isra'a, die verliebt war. So offen und fröhlich ihr Gemüt auch ist, hat sie es doch immer verstanden, ihre Gefühle zu verstecken.
In den Nächten, in denen ich nicht schlafen konnte, habe ich oft darüber nachgedacht, warum sie immer stundenlang Musik hörte und dabei ihr Umfeld ver-

gaß, als hoffte sie, die Lieder der Liebe trügen sie an einen anderen Ort, näher zu dem Jungen ihrer Träume. Auch ihre Eitelkeiten, ihr Starrsinn überraschten mich: immer nur perfekt gekleidet auf die Straße zu treten, wo es doch weder den Krämer noch dessen Frau interessieren konnte, in welcher Aufmachung sie vorbeikam, um Milch oder Eier zu holen.

Mein Herz hüpft, während ich diese Zeilen über meine Töchter schreibe, die glauben, dass nur sie allein das Gefühl der ersten Liebe, des Erwachsenwerdens durchmachen müssen, und nicht im Traum auf die Idee kämen, dass ihre Erlebnisse weit weniger exklusiv sind, ja selbst von der eigenen Mutter durchlebt worden sind. Sie hüten ihr Selbstmitleid, ihre aus dem Glauben, von allen verkannt zu sein, entsprungene Einsamkeit wie einen kostbaren Schatz und weiden sich an der Liebe köstlichem Schmerz.

Mein Leben hat mich wieder. Meine Gedanken haben sich aus dem Sog eines Stück Papiers gelöst und können wieder atmen.

Ich freue mich, wieder in die Schule zu gehen, fühle mich durch die Liebe meiner Familie gestärkt, um meinen Schülerinnen die Lehrerin sein zu können, die sie verdient haben.

III

Sommer der verlorenen Hoffnung

1

Es ist ein Nachmittag im Frühsommer, und die Sonne steht fast senkrecht am Himmel, brennt schon um diese Jahreszeit so gnadenlos herab, dass keine Fliege mehr einen Flügel bewegt. Viele Menschen können nichts anderes machen, als sich reglos im Schatten aufzuhalten, um nicht von einem Hitzschlag niedergestreckt zu werden. Nicht der Hauch einer Brise ist zu spüren, die Luft steht still, und es fällt den Leuten schwer zu atmen.

Umm Mohammed und ihr Mann sitzen in ihrem Wagen wie in einem fahrenden Backofen und begeben sich auf den Heimweg, nachdem sie auf dem Souk in Dschenin die Einkäufe erledigt haben. Während Umm Mohammed zu einem kurzen Besuch bei ihrer Schwester gewesen ist, hat ihr Mann sich mit einem wohlhabenden palästinensischen Geschäftsmann getroffen.

Abu Mohammed hat die Idee mit dem Elektrogeschäft aufgegeben, weil es sich gegenwärtig nicht lohne, wie er sagte. Umm Mohammed atmete erleichtert auf, hatte er doch ihrer Ansicht nach nicht den geringsten Geschäftssinn, schon allein weil der Einfall, Kühlschränke und Waschmaschinen in einer Zeit zu verkaufen, in welcher die Menschen jeden Schekel zweimal umdrehen, bevor sie ihn ausgeben, vollkommen unrentabel war. Doch im selben Atemzug, in dem er diese Idee verworfen hatte, kündigte er ein neues Vorhaben an, bei welchem er in großem Maße Zigarettenhülsen und die dazugehörigen Drehgeräte aus Deutschland importieren wolle, um sie mit einheimischem Tabak anzubieten, denn das sei auf Dauer weit günstiger für die Raucher, als ständig die teuren Zigarettenpackungen zu kaufen. Er hatte sich mit dem reichen Palästinenser getroffen, weil dieses Projekt finanziert werden musste. Nun sitzt er mürrisch neben seiner Frau, weil der Mann nicht sofort überzeugt gewesen war, nicht gleich Abu Mohammeds Enthusiasmus teilte und ihm seine Antwort erst in einer Woche zukommen lassen wollte.

Sie fahren aus Dschenin heraus, holpern mit dem alten Toyota über die Landstraße, die zu beiden Seiten von vertrockneten und mit einer dünnen Sandschicht überzogenen Sträuchern gesäumt ist. Durch die offenen Fenster zieht der Fahrtwind in den Wagen hinein und spendet eine leichte Kühle, obgleich die Luft heiß und trocken ist.

Interessant, habe der Mann gesagt, nur interessant, brummt Abu Mohammed vor sich hin, aber das sei nicht nur interessant, sondern phänomenal, bahnbrechend, auch wenn auf dem Souk bereits Zigarettenhülsen und Tabak verkauft würden, so geschehe das doch nur in kleinem Umfang. Er aber wolle daraus ein großes Geschäft machen, bei dem sich viel Geld verdienen lasse.

Irgendwie tut er ihr leid, denkt sich Umm Mohammed, weil er so viel Zeit und Energie investiert, all sein Herzblut daransetzt, um sich endlich seinen Traum von einem gut gehenden Geschäft erfüllen zu können – ein Traum, den er schon seit seiner Jugendzeit hat, aus dem aber nichts geworden ist, weil ihn seine Eltern nach der Schule auf die Universität schickten, damit er sich bilde und Lehrer werde.

Dennoch will Umm Mohammed diese Idee nicht gutheißen, weil sie nicht verstehen kann, dass alle Männer in diesem Land rauchen müssen. Obgleich es vorne und hinten nicht reicht – für Zigaretten scheint immer Geld da zu sein.

Es sei vollkommen absurd, sagt sie ihrem Mann vorsichtig, weil sie ihn nicht verletzen will, absurd, dass man rauche und damit das bitter nötige Geld einfach so in die Luft verpaffe. Wie viele Palästinenser im Westjordanland und im Gaza-Streifen leben würden, fragt sie ihren Mann.

Vielleicht drei, vielleicht auch dreieinhalb Millionen, so genau wisse er es nicht, und er blickt sie fragend an, weil er nicht erkennen kann, worauf sie hinauswill.

Er solle annehmen, es seien drei Millionen, und unter diesen drei Millionen seien ungefähr die Hälfte Männer, von welchen wiederum eine Million rauchten. Was er glaube, wie viele Packungen durchschnittlich am Tag verraucht werden?

Während er auf die Straße blickt, weil vor ihm einige Wagen am Checkpoint und am Tor zu Um Al-Rihan stehen, gibt er ihr zur Antwort, dass es sicherlich ein bis zwei Packungen seien. Er stellt den Wagen ab, lehnt sich seitlich zum Fahrerfenster, so dass er ihr zugewandt ist, und erwartet gespannt ihre Ausführung.

Wenn man annehme, dass eine Million Palästinenser, wohlgemerkt überwiegend Männer, eine Packung am Tag rauchen würden und diese ab sofort darauf verzichteten, so seien dies bei einem Preis von zwölf Schekel pro Packung insgesamt zwölf Millionen Schekel täglich, vierundachtzig Millionen Schekel wöchentlich und dreihundertsechsunddreißig Millionen monatlich, schließt Umm Mohammed ihre Berechnungen und wirft ihrem Mann ein triumphierendes Lächeln zu.

Na und, antwortet er verstört, so wie wenn jemand drohe, ihm das liebste Spielzeug zu nehmen. Ob sie damit sagen wolle, dass er mit dem Rauchen aufhören solle?

Nein, es sei lediglich ein Denkanstoß dahin gehend, was man in Palästina mit so viel Geld alles machen könnte – Kindergärten, Schulen und Universitäten bauen, Straßen ausbessern, Arbeitsplätze schaffen und vieles mehr.

Abu Mohammed lacht laut auf, er wolle sie mal sehen, wie sie einen Raucher von diesem Gedanken überzeuge, auch wenn es wahr sei, was sie sage.

Ihre Aufmerksamkeit richtet sich auf die Fahrzeuge vor ihnen, da scheinbar wieder niemand durchkommt. Alles steht, so wie die heiße Luft in der windstillen Stadt, und es fährt nicht einmal jemand aus der entgegengesetzten Richtung vorbei.

Seit Umm Mohammed ihren Passierschein hat, ist es oft genug vorgekommen, dass sie hier warten mussten, meist weil die Soldaten sich alle Zeit der Welt ließen. Nun aber haben sie auch noch Spürhunde, die nach Sprengstoff suchen, wenn das Fahrzeug aus dem Westjordanland kommt. Abu Mohammed steigt aus dem Wagen, geht zu einem der vordersten Autos, fragt den an der Tür lehnenden Fahrer, ob er wisse, was los sei. Der Mann schüttelt nur den Kopf und erwidert ärgerlich, dass dies Allahs Wille sei.

Schweiß perlt auf Umm Mohammeds Stirn und fließt unablässig die Schläfen herunter, denn im Auto ist es heiß und stickig. Sie steigt aus, stellt sich in den warmen Sommerwind, der den Schweiß trocknen lässt. Neugierig blickt sie zu den Soldaten am Checkpoint, kann aber nicht erkennen, dass etwas Außergewöhnliches geschieht, denn sie sitzen lediglich in ihrem Wachhaus, rauchen, trinken und unterhalten sich, während im Schatten neben ihnen ein Hund auf dem Boden liegt und vor sich hin döst. Ihr Mann geht nun langsam und vorsichtig auf die Uniformierten zu, bleibt unaufgefordert einige Meter von ihnen entfernt stehen und wartet darauf, dass sie von ihm Notiz nehmen, aber sie würdigen ihn nicht eines Blickes. Abu Mohammed versucht, auf sich aufmerksam zu machen, geht einige Schritte weiter, als plötzlich einer der Israelis aufspringt, sein Gewehr in die Hand nimmt und ihm bedeutet, zu verschwinden, während er ihn anschreit. Mit der für Abu Mohammed typischen beschwichtigenden Geste seiner Hände spricht er mit dem Soldaten, der auf den Hund zeigt und ihm nochmals zu verstehen gibt, dass er verschwinden solle.

Als er wieder bei seiner Frau am Wagen ist, fragt ihn diese, was denn los sei, warum sie niemanden durchließen. Abu Mohammed wirkt aufgewühlt, die Begeisterung und die Freude, die er noch vor wenigen Minuten im Gespräch über seine Geschäftsidee ausstrahlte, sind nun verflogen. Er lehnt sich schlaff an den Wagen, zieht eine Packung Zigaretten aus der Brusttasche seines Hemdes und raucht. Dabei scheint sein Blick sie zu fragen, was er denn sonst machen könne, außer zu rauchen, eine nach der anderen, um dann zu sehen, wie sich seine Hoffnungen und Träume immerfort auflösen, sich verflüchtigen, gleich dem Zigarettenrauch in Luft.

Nun, was los sei, fragt Umm Mohammed erneut. Was solle schon los sein, antwortet er, nichts sei los, rein gar nichts, und dann nimmt er frustriert einen tiefen Zug von seiner Zigarette. Sie seien gezwungen zu warten, wie lange aber, wisse er nicht, denn der Soldat habe ihm gesagt, dass der Spürhund die Fahrzeuge kontrollieren müsse, im Moment aber nicht könne, weil es zu heiß sei. Und außerdem schlafe er. Das sei los.

2

Stunden des Wartens haben sie hinter sich bringen müssen, und sie sind erst weit nach Sonnenuntergang in Um Al-Rihan angekommen. Nun fühlen sie sich leer und verloren, weil die Zeit am Übergang leer und verloren gewesen ist.

Während sie dort warteten, blickten sie unablässig zum Checkpoint, in der Hoffnung, die Bewegung einer Soldatenhand einzufangen, welche die Fahrzeuge durchwinkt. In diesen Stunden reduzierte sich alles, ihr gesamtes Leben, auf diesen Wink, der es ihnen erlauben würde, nach Hause zu gelangen, um sich den Schweiß der Hilflosigkeit und Erniedrigung vom Körper zu waschen.

Als die Tür hinter Umm Mohammed und ihrem Mann ins Schloss fällt, beide erleichtert durch den Flur schreiten, schwappt ihnen lautes Stimmengewirr entgegen. Es ist der Fernseher mit den neuesten Nachrichten aus Palästina. Abu Mohammed begibt sich in das Wohnzimmer, wo bereits Usama aufmerksam die Berichte des Senders Al

Dschasira verfolgt. Nichts Neues. Wie immer. Hier Panzer und Kampfjets, Tote, Verletzte und zerstörte Häuser, dort Attentate und Anschläge, Tote, Verletzte und zerstörte Häuser, ein Kreislauf nicht enden wollender Gewalt und Gegengewalt, an die man sich gewöhnt hat. Diese Gewohnheit ist eine Seuche, denkt sich Abu Mohammed, eine Seuche, die uns befallen hat und gegen die es keine Heilung gibt, weil sie alle Gesetzmäßigkeiten ihres Lebens außer Kraft gesetzt hat. Abu Mohammed seufzt, und es ist wieder jener Laut, den er von sich gibt, wenn er vor dem Fernseher sitzt und die leidvollen Bilder aus einem Land sieht, das er Heimat nennt, das er aber noch nicht einmal richtig kennt, da er an seinen Passierschein festgekettet ist.

Als Umm Mohammed in der Küche die Einkäufe auspackt, stellt sie fest, dass das Obst, das Gemüse und der Käse wegen der Hitze im Auto größtenteils verdorben sind. Da kommt Falastin herein, fragt, wo sie gewesen seien.

Der schlafende Hund habe sie am Übergang aufgehalten, antwortet ihre Mutter und fragt, ob Usama, Isra'a und sie schon gegessen hätten. Eine Kleinigkeit, erwidert Falastin.

Wenig später sitzen alle zusammen am Esstisch, und die Kinder erzählen ihrer Mutter, wie ihr Tag verlaufen war. Usama hat seine Ergebnisse der Examensprüfungen, die er wegen der protestierenden Siedler verpasst hatte, aber nachholen durfte, erhalten und mit Auszeichnung bestanden. Isra'a und Falastin sind in Dschenin gewesen und haben dort eingekauft, ein Kleid und Schuhe für Isra'a.

Monate sind inzwischen seit Umm Mohammeds Ausschluss aus ihrem Leben in Um Al-Rihan vergangen, aber noch immer blickt sie ihre Kinder an, als ob sie sie zum ersten Mal sehe – mit glänzenden Augen und dem zarten Gesichtsausdruck einer Frau, welche die Liebe zu ihrer Familie neu entdeckt hat. Und sie sieht Dinge, die sie nicht mehr zu sehen geglaubt hatte: den kleinen Leberfleck unterhalb von Isra'as rechtem Auge, den schmalen Mund und den kurzen Hals, aus dessen Kehle eine Stimmgewalt hervorkommen kann, die das ganze Haus erbeben lässt. Und die Sommersprossen auf Falastins Nase, die ganz spitz nach vorn zuläuft, ihr gelocktes Haar, das sie manchmal selbst zu Hause unter dem Schleier verbirgt, und ihre hohe Stirn, die sich bereits in ihren noch jungen Jahren in ein Meer von Sorgenfalten legen kann. Und die für einen Mann ungewöhnlich langen Wimpern Usamas, seine tiefdunklen und geheimnisvollen Augen und die im Verhältnis zur Ohrmuschel überdimensionalen Läppchen. In dieser familiären Harmonie sind selbst das lange Warten am Übergang, die Bilder im Fernseher, der Schmerz und das Leid zumindest für eine Zeit lang vergessen, weil der Zauber der Geborgenheit sie weit hinter den Horizont der Dunkelheit katapultiert, dort, wo Wärme, Lebenslust und Freude herrschen, trotz der Gewissheit, dass ein neuer Tag auch wieder neue Strapazen und Schikanen bringt.

Abu Mohammed sitzt im Bett und hat den Enthusiasmus und die Leidenschaft, die er noch vor wenigen Stunden im Nu verloren hat, wiedererlangt und telefoniert nun mit Abu Nour, seinem Cousin, um die Preise für den Tabak zu besprechen. Ja, er habe sich mit Suleiman getroffen, und der werde ihn seine Antwort kommende Woche wissen lassen, nein, er könne sich nicht vorstellen, dass er absagen werde, denn das sei ein todsicheres Geschäft, spricht er in den Hörer, als Umm Mohammed sich zu ihm in das Bett legt.

Nachdem er das Gespräch beendet hat, dreht er sich ihr zu. Umm Mohammed sagt ihm, dass morgen Mohammed, ihr ältester Sohn, wegen der Semesterferien in Kairo nach Hause komme, und fragt, ob er den Passierschein für ihn beantragt habe. Ja, und wenn es Allahs Wille sei, werde er ihn mittags in Salem abholen. Er wünsche ihr eine gesegnete Nacht, löscht das Licht und legt sich auf den Rücken, um die Gliedmaßen weit von sich zu strecken, so wie er es immer macht, und wenig später in einen tiefen und erholsamen Schlaf zu fallen.

Ein Soldat schlägt einen Araber am Übergang von Um Al-Rihan, wieder und wieder. Plötzlich taucht hinter dem Zaun ein junger Mann auf, den sie nicht erkennen kann, aber sein Gang und seine Gestik scheinen Umm Mohammed vertraut. Der Araber erhält eine zweite, dann eine dritte Ohrfeige, versucht bei der vierten zurückzuweichen, schafft es aber nicht, und zusätzlich trifft ihn ein Tritt in die Seite.

Sie fühlt, wie der junge Mann die Beherrschung verliert und mit aller Bitterkeit und dem Zorn eines zerbrochenen Herzens auf den Soldaten Steine herabhageln lässt, einen nach dem anderen, dann schreiend auf ihn zustürmt, ihm das Gewehr entreißt, wild und unerschrocken auf ihn einschlägt, während sich eine Menschentraube bildet, die den jungen Mann anfeuert, er solle den räudigen Hund töten. Er ist jetzt so nah, aber sein Rücken ist ihr zugewandt, und sie versucht, sich einen Weg durch die Menge zu kämpfen, aber es scheint aussichtslos. Sie sieht ihn von hinten, wie er noch immer auf den Soldaten einschlägt, ihn anbrüllt, es sei das letzte Mal, dass er wehrlosen Menschen Leid zufügen würde. Er schlägt weiter mit seinen Händen auf den Uniformierten ein, welcher um Hilfe ruft. Der junge Mann hebt einen Stein auf und will ihn dazu benutzen, um dem am Boden liegenden jungen Soldaten unter dem Gejohle der Schaulustigen den Schädel zu zertrümmern. In diesem Moment schreit sie ihn an, er solle aufhören, versucht sie, Leute beiseite zu schieben. Doch plötzlich packen andere Soldaten den jungen Mann. Sie reißen ihn von dem blutüberströmten Uniformierten los. Nun sieht sie sein Gesicht und erschrickt, denn es ist Mohammed. Sie rennt auf die Soldaten zu, sagt ihnen, dass dies ihr ältester Sohn sei, der sie besuchen komme. Aber sie nehmen ihn mit, traktieren ihn mit Schlägen.

Umm Mohammed schnellt schweißgebadet aus dem Schlaf auf, blickt sich um und ruft sich ins Gedächtnis, wo sie ist. Sie steht auf, geht zu einem Zimmer, öffnet leise die Tür und erblickt Usama, der friedlich schläft.

Nein, Mohammed ist noch nicht da, aber er wird morgen nach Hause kommen. Dann ist die Familie vollzählig, und das ist alles, was sie will.